Univers des

Sous la directic

S A R T R E

LES MOUCHES

Extraits
avec une notice sur la situation des Mouches,
une analyse méthodique de la pièce, des notes,
des jugements et des documents

par

Pierre BRUNEL

Professeur
à l'Université de Paris-Sorbonne

Bordas

Mycènes : murailles prises du palais des Atrides

© Éditions Gallimard, 1947
© Bordas, Paris 1974 – 1ʳᵉ édition
© Bordas, Paris 1984 pour la présente édition
I.S.B.N. 2-04-016083-3
ISSN 0249-7220

SITUATION DES « MOUCHES »

L'itinéraire de Jean-Paul Sartre étant inachevé, nous nous contenterons de situer *les Mouches* dans la carrière de l'écrivain et dans son temps. Au cours de cette introduction nous ne donnerons que des faits, réservant toute interprétation pour l'étude sur laquelle s'achève ce volume. Car cette situation n'est entreprise, comme le dit Heidegger, que pour désigner le « site » *(Erörterung)* de l'œuvre et rendre attentif à ce « site »[1] : elle n'est qu'une étape dans le chemin qui conduit vers lui.

C'est en 1941, à l'occasion d'une représentation des *Suppliantes* d'Euripide au stade Roland-Garros, que Sartre conçut le projet de la pièce. La qualité du spectacle qui réunissait les décors de Labisse, la musique d'Arthur Honegger et la mise en scène de Jean-Louis Barrault n'a fait que raviver la prédilection de Sartre pour le théâtre d'Euripide. En 1964, il adaptera *les Troyennes*, que Michel Cacoyannis montera au T.N.P. A cette occasion, il définira le théâtre d'Euripide comme un théâtre de transition[2]. On peut se demander si *les Mouches* ne sont pas, dans sa propre carrière, une œuvre de transition.

Ce « drame » (telle est l'appellation dont use Sartre pour cette pièce, et pour cette pièce seule) marque, selon Gaëtan Picon, la fin de la période existentialiste, dont le marxisme va prendre le relais[3]. L'affirmation peut sembler étonnante, si l'on songe que le mot « existentialisme » n'a été lancé qu'en 1943 par Gabriel Marcel. L'essai de Sartre lui-même, qui fera tant pour la diffusion de cette philosophie, *l'Existentialisme est un humanisme*, ne paraîtra qu'en 1946. Et pour ce qui est des contacts avec le marxisme, ils sont pris depuis longtemps : dès les années 1934-1936, quand il était encore professeur au lycée du Havre, Sartre était tenté d'adhérer au parti communiste[4]. C'est bien plutôt le dilemme entre la spéculation et l'action qui marque cette « première période » de la carrière de l'écrivain.

---

1. Martin Heidegger, *Unterwegs zur Sprache*, Neske, Pfullingen, 1959.
2. « *Les Troyennes* : Jean-Paul Sartre s'explique », propos recueillis par Bernard Pingaud et publiés dans *Bref*, n° 83, février 1965.
3. Gaëtan Picon, « Littérature du XXᵉ siècle », dans *Histoire des littératures*, t. III, sous la direction de Raymond Queneau, coll. « Encyclopédie de la Pléiade », Gallimard, 1963, p. 1355.
4. Voir M. Contat et M. Rybalka, *les Écrits de Sartre*, Gallimard, 1970, p. 26.

Entre la spéculation...　　Le goût de la spéculation tient à sa formation universitaire. Ayant pris dès l'enfance « des bains de culture »[1] et ayant vécu entre « Karlémami » dans la « religion » du « livre »[2], il était voué au lycée (1915-1922), à la Khâgne (1922-1924), à l'École Normale Supérieure (1924-1929) et, une fois reçu à l'agrégation de philosophie (1929), à la carrière professorale : après Le Havre et Laon, il a été nommé à Paris au lycée Pasteur en 1937, puis au lycée Condorcet où il enseigne en Khâgne de 1941 à 1944. En 1936, il a publié un essai sur *l'Imagination*, aux éditions Félix Alcan (il s'agit d'une refonte de son mémoire pour le diplôme d'études supérieures). Cet essai sera complété et renouvelé par *l'Imaginaire* (1940). Dès *la Transcendance de l'Ego*[3] (publié en 1936-1937 dans la revue *Recherches philosophiques*), il s'affirme comme le porte-parole et le continuateur de la phénoménologie allemande : « Le Monde n'a pas créé le Moi, le Moi n'a pas créé le Monde, ce sont deux objets pour la conscience absolue, impersonnelle, et c'est par elle qu'ils se trouvent reliés. »

On découvre déjà, dans cet ouvrage, les positions philosophiques que Sartre développe dans *l'Être et le Néant*, essai d'ontologie phénoménologique entrepris en 1941 et achevé en 1943, — donc exactement contemporain des *Mouches*. Sartre y fonde sa phénoménologie de la conscience sur l'analyse des conduites par lesquelles les individus, envisagés dans une perspective psychologique et morale, manifestent leur fondamentale aliénation; mais il ne rend pas encore compte des causes historiques et sociales de cette aliénation, et c'est justement à quoi il s'efforcera avec de plus en plus de précision dans toute son œuvre ultérieure[4]. Ce n'est encore, pour reprendre l'expression de Sartre, qu'une « eidétique de la mauvaise foi »[5].

Le premier roman publié de l'auteur, *la Nausée* (1938), était également, mais sur un autre mode, une description phénoménologique. Le journal d'Antoine Roquentin, venu à la bibliothèque de Bouville préparer une thèse sur M. de Rollebon, relate minutieusement le dégoût qui saisit l'homme devant l'Existence quand le réel apparaît, dans toute sa contingence, superflu, inexplicable, injustifiable :

> « C'est donc ça la Nausée : cette aveuglante évidence? Me suis-je creusé la tête! En ai-je écrit! Maintenant je sais :

1. *Les Mots*, Gallimard, 1947, p. 57.
2. *Ibid.*, p. 46.
3. Cet essai a été réédité en volume chez Vrin en 1965 par les soins de Sylvie Le Bon.
4. M. Contat et M. Rybalka, *op. cit.*, p. 87.
5. *Situations*, IV, Gallimard, p. 196.

j'existe — le monde existe — et je sais que le monde existe. C'est tout. Mais ça m'est égal. »

...et l'action...   L'attitude d'Antoine Roquentin reste passive, et *la Nausée* apparaît — mais ce n'est probablement qu'une apparence — comme une œuvre désengagée. Pourtant Sartre était loin de rester insensible aux événements de l'époque. « Le mur », la première[1] de ses nouvelles publiées (dans *la Nouvelle Revue française* en juillet 1937, puis en tête du recueil du même nom en janvier 1939), n'était pas — il le dit lui-même — « une œuvre de philosophe », mais « une réaction affective et spontanée à la guerre d'Espagne[2], ce drame qui pendant deux ans et demi domina toute [sa] vie »[3].

Le second conflit mondial a eu un rôle décisif. Mobilisé le 2 septembre 1939, Sartre est fait prisonnier, sans avoir vu le feu, à Pardoux, en Lorraine, le 21 juin 1940. Transféré au Stalag XII D, à Trèves, il obtient sa libération (fin mars 1941) en se faisant passer pour civil. A son retour, Simone de Beauvoir est frappée par le changement qu'elle remarque en lui : « La guerre m'avait enseigné qu'il fallait m'engager. » Le lecteur pourra suivre cet itinéraire dans la série romanesque inachevée, *les Chemins de la liberté*, dont le premier tome, *l'Age de raison*, terminé dès 1941, ne sera publié qu'en 1945.

Sartre fonde, avec le philosophe Maurice Merleau-Ponty, le groupe de résistance intellectuelle « Socialisme et Liberté », qui réunissait des marxistes et des non-marxistes. Envisageant l'éventualité d'une défaite, il se fixait pour tâche de « faire perdre la paix » à l'Allemagne si elle gagnait la guerre[4]. Les communistes tentèrent de le faire passer pour un agent provocateur, et Sartre dut se résoudre à dissoudre le groupe en octobre 1941. Il faut se reporter ici au précieux témoignage de Simone de Beauvoir :

> « Ce projet, longtemps caressé au Stalag, et pour lequel pendant des semaines il s'était joyeusement dépensé, il coûtait à Sartre d'y renoncer; il l'abandonna pourtant à son cœur défendant. Il s'attela alors opiniâtrement à la pièce qu'il avait commencée : elle représentait l'unique forme de résistance qui lui fût accessible[5]. »

Cette pièce, c'était *les Mouches*.

1. Un conte de Sartre, « l'Ange du morbide », avait paru dès le 15 juin 1923 dans la *Revue sans titre*. Il est reproduit dans M. Contat et M. Rybalka, *op. cit.*, pp. 501-505.
2. Interview parue dans *Jeune Cinéma*, n° 25, octobre 1967, pp. 24-28. Voir *ibid.*, p. 58.
3. Cité *ibid.*, p. 27.
4. Simone de Beauvoir, *la Force de l'âge*, Gallimard, 1960, coll. « Folio », n° 44, p. 553.
5. *Id., ibid.*, p. 573.

... le recours au théâtre   La première pièce de Sartre, et
pourtant pas tout à fait. Au Stalag,
il avait déjà composé et mis en scène une pièce, *Bariona*.
« Le sujet apparent de ce "mystère" était la naissance du
Christ; en fait le drame traitait de l'occupation de la Palestine
par les Romains, et les prisonniers ne s'y étaient pas trompés :
ils avaient applaudi, la nuit de Noël, une invitation à la résistance[1]. »

On comprend dès lors pourquoi Sartre, après la représentation des *Suppliantes* au stade Roland-Garros, s'était hâté de
répondre aux vœux d'Olga Dominique. La jeune actrice
souhaitait une pièce où elle eût enfin un vrai rôle à jouer. En
le lui offrant, le dramaturge voyait au-delà : « Voilà le vrai
théâtre, avait pensé Sartre : un appel à un public auquel on est
lié par une communauté de situation. Cette communauté
existait entre tous les Français, que les Allemands et Vichy
exhortaient quotidiennement aux remords et à la soumission :
on pouvait trouver un moyen de leur parler de révolte, de
liberté. Il commença à chercher une intrigue à la fois prudente
et transparente[2]. » *Les Mouches*, c'était l'expérience de
Bariona qui recommençait à une autre échelle : non plus le
public du Stalag, mais la France occupée.

C'est dire que Sartre, quand il eut écrit son texte, ne pouvait le garder dans ses tiroirs ni même se contenter de le donner
à l'imprimeur. « Exhortant les Français à se délivrer de leurs
remords et à revendiquer contre l'ordre leur liberté, il voulait
être entendu.[3] » Jean-Louis Barrault, d'abord pressenti, se
récusa. Sartre parla alors à Charles Dullin qui, malgré ses
difficultés financières[4], mit la pièce en répétition au printemps
1943 sur la scène du théâtre de la Cité (ex théâtre Sarah-
Bernhardt, aujourd'hui théâtre de la Ville).

Le nom du grand comédien et metteur en scène reste attaché
à la pièce. Sartre lui rendra hommage en ces termes : « Après
les répétitions de *les Mouches*, je ne vis plus le théâtre avec les
mêmes yeux[5]. » La première édition, mise en vente en avril,
sera d'ailleurs dédiée « à Charles Dullin en témoignage de
reconnaissance et d'amitié ».

Simone de Beauvoir, qui assista aux répétitions, nous a
laissé ce témoignage :

1. Simone de Beauvoir, *la Force de l'âge*, Gallimard, 1960, coll. « Folio », n° 44, p. 556.
2. *Ibid.*, *loc. cit.*
3. *Ibid.*, p. 590.
4. Sur le faux espoir du faux mécénat de « Néron », voir le récit de Simone de Beauvoir,
ibid., pp. 590 sq.
5. « Dullin et *les Mouches* », 1966-1969, cité dans M. Contat et M. Rybalka. *op. cit.*,
p. 431.

> « Ce texte que je connaissais presque par cœur, cela me passionna de le voir se transformer en spectacle : je fus prise du désir d'écrire une pièce, moi aussi. Pourtant, les choses n'allaient pas toutes seules. Il y eut beaucoup d'agitation avant que les décors et les costumes fussent établis. Les statues de Jupiter et d'Apollon tenaient une grande place dans l'action, aussi Dullin décida-t-il de s'adresser à un sculpteur [1]. »

Ce sculpteur, ce fut Henri-Georges Adam, qui choisit le style agressif.

Du côté des acteurs tout n'allait pas tout seul non plus :

> « La figuration était considérable : des femmes, des enfants, de vieilles gens, tout un peuple qu'il fallait faire évoluer sur la vaste scène du théâtre Sarah-Bernhardt. Dullin s'y trouvait moins à l'aise que sur le plateau de l'Atelier. L'acteur qui jouait Oreste manquait d'expérience; Olga aussi; le rôle d'Électre était écrasant; elle l'indiquait avec justesse, mais ni elle ni son partenaire ne passaient la rampe. Dullin prenait de violentes colères : "C'est de la petite comédie!" disait-il d'une voix cinglante. Olga pleurait de rage, il s'adoucissait, puis de nouveau il explosait et elle se rebiffait : tous deux s'engageaient cœur et âme dans des disputes qui tenaient à la fois de la scène de famille et de la querelle amoureuse. Les petites camarades de l'école [2] assistaient à ces corridas avec l'espoir qu'Olga se casserait les reins. Elles furent déçues. Les dons d'Olga, le travail de Dullin, leur commun acharnement triomphèrent : aux dernières répétitions, elle joua comme une actrice consommée; seule sur le plateau, sa présence l'emplissait [3]. »

Vingt-cinq représentations étaient prévues. Elles avaient été annoncées par une interview de Sartre dans *Comœdia* du 24 avril 1943 et par un article de Charles Dullin dans *la Gerbe* du 3 juin. Le succès fut mitigé, et le chroniqueur de *Comœdia* pouvait noter, le 19 juin : « La création des *Mouches* au théâtre de la Cité a suscité des "mouvements divers" dans l'opinion artistique. Dans sa grande majorité la critique a jugé avec dureté l'œuvre de Jean-Paul Sartre. »

Parmi les articles franchement hostiles, on trouve ceux d'Alain Laubreaux dans *le Petit Parisien* (5 juin 1943), *l'Œuvre* (7 juin), *Je suis partout* (11 juin), de Roland Purnal dans *Comœdia* (12 juin), d'André Castelot dans *la Gerbe* (17 juin). En revanche, Michel Leiris défendit la pièce dans *les Lettres françaises* clandestines.

---

1. Simone de Beauvoir, *la Force de l'âge*, p. 616.
2. L'école où Olga apprenait l'art dramatique.
3. *Ibid.*, pp. 616-617.

Il était « impossible de se méprendre sur le sens de la pièce », rappelle Simone de Beauvoir : « Tombant de la bouche d'Oreste, le mot Liberté explosait avec un éclat fulgurant. Le chroniqueur allemand de la *Pariser Zeitung* ne s'y méprit pas, et le dit, tout en se donnant les gants de faire un compte rendu favorable[1]. » Cette signification, Michel Leiris l'avait également soulignée. Mais, il faut l'avouer, la plupart des critiques ne la comprirent pas ou feignirent de ne pas la comprendre :

> « Ils tombèrent à bras raccourcis sur la pièce, mais en alléguant des prétextes purement littéraires : elle s'inspirait sans bonheur du théâtre de Giraudoux, elle était verbeuse, alambiquée, ennuyeuse. Ils reconnurent le talent d'Olga : ce fut pour elle un éclatant succès. En revanche ils attaquèrent la mise en scène, les décors, les costumes. Le public n'afflua pas. On était déjà en juin et le théâtre devait fermer. Dullin reprit *les Mouches* en octobre en alternance avec d'autres spectacles[2]. »

Sartre n'avait guère été entendu. Et la cabale avait été moins alimentée par les allusions politiques[3] que par des querelles d'esthètes. C'était peut-être, il est vrai, un autre masque...

L'échec des *Mouches* n'a sans doute pas été sans déterminer l'évolution ultérieure de Sartre. Dans sa seconde pièce, *Huis-clos*, il adoptera un style et une forme beaucoup plus dépouillés. Cela ne signifie pas cependant que, pour faire la théorie de l'engagement et prêcher d'exemple, il ait, comme le prétend Gaëtan Picon, fait « le sacrifice de la littérature en tant que telle[4] ». On pourrait plus raisonnablement penser qu'il a, dès 1943, abouti à la conclusion qui sera celle des *Mots* en 1964 :

> « J'ai désinvesti, mais je n'ai pas défroqué : j'écris toujours. Que faire d'autre? *Nulla dies sine linea.*
> » C'est mon habitude et puis c'est mon métier. Longtemps j'ai pris ma plume pour une épée : à présent je connais notre impuissance. N'importe : je fais, je ferai des livres; il en faut; cela sert tout de même. La culture ne sauve rien ni personne, elle ne justifie pas. Mais c'est un produit de l'homme : il s'y projette, s'y reconnaît; seul ce miroir critique lui offre son image. »

---

1. *La Force de l'âge*, p. 617.
2. *Ibid., loc. cit.*
3. Comme tendrait à le faire croire un témoignage de Sartre dont M. Contat et M. Rybalka reconnaissent le caractère approximatif (*les Écrits de Sartre*, p. 91). Il s'agit d'un texte paru dans *la Croix* le 20 janvier 1951, « Ce que fut la création des *Mouches* : les collaborateurs ne s'y trompèrent point. De violentes campagnes de presse obligèrent rapidement le théâtre Sarah-Bernhardt à retirer la pièce de l'affiche, et le travail remarquable de celui qui était notre plus grand metteur en scène ne fut pas récompensé. »
4. *Histoire des littératures*, tome cité, p. 1356.

ÉLECTRE. — « De force?... Ha! ha! De force? C'est bon.
Ma bonne mère, s'il vous plaît, assurez le roi de mon obéissance. »
(I, 5, l. 183 et suiv.)
Ci-dessus, Olga Dominique dans le rôle d'Électre,
au Théâtre du Vieux Colombier, en 1951.

BIBLIOGRAPHIE

Éditions

Si l'on néglige les fragments de la pièce publiés dans *Confluences* en avril-mai 1943 (vol. III, n° 19, pp. 371-391), on doit considérer comme l'édition originale de la pièce celle qui fut publiée aux éditions Gallimard en 1943 (achevé d'imprimer décembre 1942).

Texte repris dans les collections de poche, « le Livre de poche », n° 1132, 1964 (retiré du catalogue), et « Folio » n° 3, 1972. Dans les deux cas *Huis-clos* précédait *les Mouches*.

On trouvera encore *les Mouches* dans les éditions du *Théâtre* de Sartre parues aux éditions Gallimard en 1947 et 1962.

Textes complémentaires de Sartre

On se reportera à l'excellente bibliographie de Michel Contat et Michel Rybalka, *les Écrits de Sartre*, Gallimard, 1970, en particulier pp. 88-92, 165, 189-190, 431. Les principaux de ces textes sont :

— le prière d'insérer pour l'édition de 1943 ;

— une notice écrite pour accompagner les représentations des *Mouches* en Allemagne par la compagnie des Dix en 1947 ;

— un texte rédigé lors de la reprise des *Mouches* au théâtre du Vieux-Colombier en janvier 1951 ;

— un texte écrit en 1966 à la mémoire de Charles Dullin et repris sous le titre « Dullin et *les Mouches* » dans *le Nouvel Observateur*, n° du 8-14 décembre 1969.

A ces textes doivent s'ajouter des comptes rendus d'interviews ou de discussions :

— une interview de Sartre par Yvon Novy dans *Comœdia* du 24 avril 1943 (« Ce que nous dit Jean-Paul Sartre de sa première pièce ») ;

— une interview de Sartre par Jacques Baratier dans *Carrefour* du 9 septembre 1944 (« Pour un théâtre d'engagement ») ;

— le compte rendu intégral d'une réunion contradictoire qui eut lieu au Hebbel-Theater de Berlin le 1er février 1948 (« Jean-Paul Sartre à Berlin : discussion autour des *Mouches* »), paru dans *Verger*, Baden-Baden-Paris, vol. I, n° 5, 1948, pp. 109-123.

Études critiques

Une seule étude consistante a paru sur *les Mouches*, malheureusement en suédois. C'est un article de Thure Stenström, dans *Existentialismen*, Stockholm, Natur och Kultur, 1966.

En français, nous signalerons des articles plus brefs : Gabriel Marcel, « *les Mouches* », dans *Chercher Dieu*, Paris, éd. du Cerf, 1943, pp. 168-174; Bernard Guyon, « Sartre et le mythe d'Oreste », dans le *Bulletin de l'Association Guillaume Budé*, 1964, pp. 42-54.

En anglais, l'article de Peter Royle, « The Ontological Significance of *les Mouches* », dans *French Studies*, janvier 1972, pp. 41-53.

Sur Sartre et le mythe qu'il illustre dans *les Mouches* on pourra consulter la préface de Marguerite Yourcenar à sa pièce *Électre ou la chute des masques*, Plon, 1954; et Pierre Brunel, *le Mythe d'Électre*, Armand Colin, coll. U 2, série « Mythes », 1971.

Parmi les ouvrages où cette pièce se trouve précisément évoquée nous retiendrons :

— Francis Jeanson, *Sartre par lui-même*, Le Seuil, coll. « Écrivains de toujours », n° 29, 1955, nouvelle édition, 1969.

— Claude-Edmonde Magny, « Système de Sartre », article publié dans *Esprit*, n°s de mars et avril 1945, repris dans *Littérature et Critique*, Payot, 1971, pp. 60-90.

— Lucien Goldmann, « le Théâtre de Jean-Paul Sartre », dans *Structures mentales et Création culturelle*, éditions Anthropos, 1970.

— Pierre Verstraeten, *Violence et Éthique, esquisse d'une critique de la morale dialectique à partir du théâtre politique de Sartre*, Gallimard, coll. « les Essais », CLXV, 1972 (les pp. 17-31 sont consacrées aux *Mouches*).

Ce ne sont là, évidemment, que des jalons dans l'immense bibliographie sartrienne.

La porte dite d'Oreste,
à l'extrême nord du palais de Mycènes

la statue de Jupiter : toutes les ordures qu'en bonne servante, elle ramasse dans le palais. Depuis la mort de son père, elle a vécu dans le dégoût et se prend à rêver de Corinthe, cette ville où, sans remords, les jeunes gens rient, le soir, avec les filles. Mais Argos n'est pas Corinthe. Il y a ici un mort à venger, une tâche urgente pour laquelle elle attend quelqu'un. Ce qui est inquiétant, c'est qu'Électre ressemble à Clytemnestre. La reine vient, à son tour, conseiller à Philèbe de quitter Argos, bientôt relayée par Jupiter lui-même, prêt à jouer les mentors.

ACTE II. [LE MOMENT DE LA LIBERTÉ]

Premier tableau : [la fête des morts]

A chaque anniversaire du régicide, Égisthe convoque son peuple devant une caverne qui, dit-on, communique avec les enfers, et que le grand prêtre a fait boucher avec une grosse pierre. Ce jour-là, les soldats repoussent la pierre, et les morts, s'abattant sur la ville comme des essaims de mouches, viennent tourmenter les vivants de leur rancune et de leur présence. Simples spectateurs, Oreste, Jupiter et le Pédagogue observent les citoyens qui ne peuvent plus supporter l'attente du moment redouté. Cette attente se prolonge parce que Électre manque à l'appel, pour la plus grande fureur d'Égisthe. La cérémonie va commencer sans elle quand elle paraît enfin, vêtue, non de deuil, mais d'une grande robe blanche. Elle tente d'arracher les Argiens à leurs remords en évoquant le simple bonheur humain, celui que l'on connaît, par exemple, dans la Corinthe de Philèbe. Sa voix, son sourire, sa danse laissent croire un instant qu'elle a réussi dans son entreprise. Mais Jupiter, d'un mot, fait rouler la pierre et libère les morts. La foule redevient leur proie et Égisthe condamne Électre au bannissement.

Oreste veut secourir sa sœur et l'invite à fuir avec lui vers le bonheur. Mais Électre, déçue de son échec, considère maintenant comme un leurre cette tentation à laquelle elle n'a pu résister. Elle veut rester en Argos pour que s'accomplisse enfin la vengeance. Elle repousse l'aide de Philèbe, car elle ne veut compter que sur son frère. Alors Oreste se fait reconnaître. Étonnée par sa jeunesse et par sa fragilité, Électre lui conseille de partir. Il lui révèle sa volonté d'engagement. Elle le repousse encore. Perplexe, Oreste supplie Jupiter de lui répondre par un signe : doit-il se résigner et renoncer à verser le sang? Jupiter se hâte de faire un miracle. Mais sa réponse est trop rapide, elle éveille la méfiance. De plus, elle suscite les moqueries d'Électre. Oreste ne peut accepter que le « Bien », ce soit de « filer doux ». Il va agir. Il lance un adieu solennel à la légèreté sans tache de

ANALYSE DES « MOUCHES »

ACTE I. [L'ÉTRANGER] [1]

Venant de Delphes, Oreste a débarqué à Nauplie et, avant de se rendre à Sparte, il a fait un détour par Argos, cette ville que fuient d'ordinaire les étrangers de passage. C'est que cette ville est plutôt « une charogne de ville tourmentée par les mouches » depuis que Clytemnestre et Égisthe ont assassiné Agamemnon à son retour de Troie. Tous les habitants d'Argos ont participé à ce meurtre : véritable public d'exécution capitale, hommes et femmes que la vue du sang met en rut. Cela se passait il y a quinze ans. Depuis, la ville est plongée dans un repentir soigneusement entretenu par Égisthe, à la grande satisfaction des dieux.

Oreste avait trois ans quand les sbires d'Égisthe l'éloignèrent d'Argos sans avoir le courage, sans doute, d'exécuter cet enfant, comme on le leur avait ordonné. Maintenant il a dix-huit ans. Il se sent étranger dans cette ville qui est pourtant *sa* ville : les vieilles femmes vêtues de noir qui viennent répandre des libations devant la statue de Jupiter s'enfuient quand il les interpelle; les portes auxquelles il frappe ne s'entrouvrent que pour se refermer brusquement; le seul Argien qu'il n'effarouche point est l'idiot de la ville, — l'idiot, un innocent, comme lui.

Cette innocence, précisément, lui pèse. Il se sent trop léger dans cette ville qui ploie sous le remords. Sa mémoire est vide de souvenirs. Et il rêve d'un acte qui l'engagerait tout entier dans ce qui serait désormais *son* chemin, un « crime irréparable », peut-être, comme celui que la reine Clytemnestre traîne après elle.

Deux personnages cherchent à le détourner de cet acte et à le faire partir de cette ville : le Pédagogue qui l'accompagne, philosophe sceptique épris de liberté et de plaisirs; ensuite, Jupiter lui-même qui les a suivis dans leur voyage et veut l'empêcher de libérer les citoyens de leurs remords. Car ce dieu qui, d'un mot, peut chasser les millions de mouches infestant Argos, sait que le jeune homme peut, lui, dans l'exercice de sa vraie liberté, les entraîner derrière lui.

En face des « opposants », Électre est l'« adjuvant ». Oreste qui a pris le nom de Philèbe le Corinthien, rencontre sa sœur au moment où elle répand des libations dérisoires aux pieds (

1. Les titres entre crochets ne sont pas de Sartre.

sa jeunesse. La hache qui frappera Égisthe et Clytemnestre ouvrira les portes des maisons d'Argos. Électre, devenue plus hésitante, reconnaît enfin son frère et s'apprête à affronter, avec lui, de « très grandes souffrances ».

Deuxième tableau : [des victimes consentantes]

Oreste et Électre se cachent, dans le palais, derrière le trône du roi où, en ce jour des morts, doit venir siéger le fantôme d'Agamemnon. Ils saisissent la conversation burlesque de deux soldats, puis le dialogue d'Égisthe et de Clytemnestre. Les paroles de l'usurpateur constituent un aveu d'imposture, mais plus encore de lassitude extrême. La scène suivante le confirme : Égisthe accuse Jupiter de l'avoir laissé se perdre et de préserver, au contraire, l'innocence d'Oreste. Le dieu lui explique qu'il aime les crimes quand ils sont suivis de repentance : Oreste, meurtrier, repartirait la conscience pure, troublant ainsi l'ordre du monde et détournant de l'Olympe le regard des hommes. Égisthe n'est guère convaincu : fléau de Dieu, il se juge victime de ce Dieu. Quand Oreste et Électre surgissent et le prennent comme un rat dans une souricière, il ne cherche pas à se défendre et meurt quasi soulagé. Clytemnestre tombe ensuite, frappée comme une bête. Les vengeurs croyaient devoir lutter contre des bourreaux : ils n'ont abattu que des victimes résignées. Pourront-ils, dans ces conditions, échapper au remords, comme ils le croyaient ? Pourront-ils se considérer comme des justiciers, non comme des assassins ? Électre, déjà, se demande si, pendant quinze ans, elle ne s'est pas menti à elle-même en jouissant de cette mort par avance ; elle se réfugie dans les bras et dans l'amour d'Oreste. Le héros, lui, a l'impression de connaître une nouvelle naissance grâce à cet acte, *son* acte, qu'il a enfin accompli, et il s'apprête à l'assumer. Mais les mouches — les Érinnyes [1] — bourdonnent autour de lui tandis que le peuple d'Argos, attiré par les cris de Clytemnestre mourante, cherche à enfoncer les portes du palais.

TROISIÈME ACTE. [LE CRÉPUSCULE DES DIEUX]

Électre et Oreste se sont réfugiés et endormis dans le temple d'Apollon. Les Érinnyes les entourent et attendent leur réveil pour les tourmenter. Électre, horrifiée par le double crime, est pour elles une proie toute désignée. L'arrivée de Jupiter crée un moment d'accalmie. D'un ton bonhomme, le maître des dieux feint de prendre les deux jeunes gens en pitié et de vouloir les protéger. Pour « un peu de repentir », il leur offre le trône. Mais il a beau étaler les merveilles de sa création, ses argu-

---

1. Orthographe de Sartre.

ments n'ont pas prise sur Oreste : Jupiter est le roi de tout,
sauf des hommes qui lui échappent grâce à leur liberté.

Peut-être l'heure du crépuscule des dieux a-t-elle sonné.
Mais Jupiter annonce qu'il se défendra, et il le prouve. Car,
curieusement, les Érinnyes laissent s'enfuir Électre et vont
s'acharner sur Oreste. C'est qu' Électre est la proie du remords
et cède à la tyrannie divine, tandis qu'Oreste, souverain
magnanime, détourne vers lui toutes les fautes et tous les
remords de ses concitoyens, comme le joueur de flûte, jadis,
débarrassa Scyros des rats qui l'infestaient...

PH. © LAUROS-GIRAUDON

Art étrusque. - Fin du IVᵉ s. avant J.-C.
Détail d'un cratère à volutes : Oreste et les Erinnyes

ACTE PREMIER

*Une place d'Argos. Une statue de Jupiter,
dieu des mouches et de la mort. Yeux blancs,
face barbouillée de sang.*

SCÈNE PREMIÈRE

*De vieilles femmes vêtues de noir entrent en
procession et font des libations devant la statue. Un idiot, assis par terre au fond. Entrent
Oreste et le Pédagogue, puis Jupiter.*

ORESTE. — Hé, bonnes femmes!
Elles se retournent toutes en poussant un cri.

LE PÉDAGOGUE. — Pouvez-vous nous dire...
Elles crachent par terre en reculant d'un pas.

LE PÉDAGOGUE. — Écoutez, vous autres, nous sommes
des voyageurs égarés. Je ne vous demande qu'un rensei-
⁵ gnement.
*Les vieilles femmes s'enfuient en laissant
tomber leurs urnes.*

LE PÉDAGOGUE. — Vieilles carnes! Dirait-on pas que
j'en veux à leurs charmes? Ah! mon maître, le plaisant
voyage! Et que vous fûtes bien inspiré de venir ici quand il
y a plus de cinq cents capitales, tant en Grèce qu'en Italie,
¹⁰ avec du bon vin, des auberges accueillantes et des rues
populeuses. Ces gens de montagne[1] semblent n'avoir

_____

1. L'expression est surprenante, car Argos se trouve au beau milieu de la plaine d'Argolide.

jamais vu de touristes ; j'ai demandé cent fois notre chemin dans cette maudite bourgade qui rissole au soleil.
Partout ce sont les mêmes cris d'épouvante et les mêmes
15 débandades, les lourdes courses noires dans les rues aveu-
glantes. Pouah ! Ces rues désertes, l'air qui tremble, et ce
soleil... Qu'y a-t-il de plus sinistre que le soleil ?

ORESTE. — Je suis né ici.

LE PÉDAGOGUE. — Il paraît. Mais, à votre place, je ne
20 m'en vanterais pas.

ORESTE. — Je suis né ici et je dois demander mon chemin
comme un passant. Frappe à cette porte !

LE PÉDAGOGUE. — Qu'est-ce que vous espérez ? Qu'on
vous répondra ? Regardez-les un peu, ces maisons, et
25 parlez-moi de l'air qu'elles ont. Où sont leurs fenêtres ?
Elles les ouvrent sur des cours bien closes et bien sombres,
j'imagine, et tournent vers la rue leurs culs... *(Geste
d'Oreste.)* C'est bon, je frappe, mais c'est sans espoir.

> *Il frappe. Silence. Il frappe encore ; la*
> *porte s'entrouvre.*

UNE VOIX. — Qu'est-ce que vous voulez ?
30 LE PÉDAGOGUE. — Un simple renseignement. Savez-vous
où demeure...

> *La porte se referme brusquement.*

LE PÉDAGOGUE. — Allez vous faire pendre ! Êtes-vous
content, seigneur Oreste, et l'expérience vous suffit-elle ?
Je puis, si vous voulez, cogner à toutes les portes.

35 ORESTE. — Non, laisse.

LE PÉDAGOGUE. — Tiens ! Mais il y a quelqu'un ici.
(Il s'approche de l'idiot.) Monseigneur !

L'IDIOT. — Heu !

LE PÉDAGOGUE, *nouveau salut.* — Monseigneur !
40 L'IDIOT. — Heu !

LE PÉDAGOGUE. — Daignerez-vous nous indiquer la
maison d'Égisthe ?

L'IDIOT. — Heu !

LE PÉDAGOGUE. — D'Égisthe, le roi d'Argos.
45 L'IDIOT. — Heu ! Heu !

> *Jupiter passe au fond.*

LE PÉDAGOGUE. — Pas de chance! Le premier qui ne s'enfuit pas, il est idiot. *(Jupiter repasse.)* Par exemple! Il nous a suivis jusqu'ici.

ORESTE. — Qui?

50 LE PÉDAGOGUE. — Le barbu.

ORESTE. — Tu rêves.

LE PÉDAGOGUE. — Je viens de le voir passer.

ORESTE. — Tu te seras trompé.

LE PÉDAGOGUE. — Impossible. De ma vie je n'ai vu 55 pareille barbe, si j'en excepte une, de bronze, qui orne le visage de Jupiter Ahenobarbus[1] à Palerme. Tenez, le voilà qui repasse. Qu'est-ce qu'il nous veut?

ORESTE. — Il voyage, comme nous.

LE PÉDAGOGUE. — Ouais! Nous l'avons rencontré sur la 60 route de Delphes. Et quand nous nous sommes embarqués, à Itéa[2], il étalait déjà sa barbe sur le bateau. A Nauplie[3] nous ne pouvions faire un pas sans l'avoir dans nos jambes, et, à présent, le voilà ici. Cela vous paraît sans doute de simples coïncidences? *(Il chasse les mouches de* 65 *la main.)* Ah çà, les mouches d'Argos m'ont l'air beau-

---

1. *Ahenobarbus :* « qui a la barbe couleur d'airain ». Connu surtout comme surnom des membres de la *gens Domitia*, à Rome, cet adjectif purement latin constitue ici un plaisant anachronisme.
2. *Itéa :* petit port voisin de Delphes, sur la côte septentrionale du golfe de Corinthe.
3. *Nauplie :* port de l'Argolide, celui où ont sans doute débarqué Oreste et le Pédagogue.

● **L'épisode de l'idiot**

Il n'est pas étonnant que le seul Argien accueillant pour Oreste soit l'idiot de la ville. En effet :
a) Inconscient, il n'a pu participer à la faute de ses concitoyens et ne saurait donc éprouver de remords.
b) Il est innocent, et Oreste l'est encore. Sur ce lien entre innocence et idiotie, on se reportera à l'« Explication de *l'Étranger* » qu'a donnée Sartre dans *Situations I* (p. 104) :
« L'homme absurde, jeté dans ce monde, révolté, irresponsable, n'a "rien à justifier". Il est *innocent*. Innocent comme ces primitifs dont parle S. Maugham, avant l'arrivée du pasteur qui leur enseigne le Bien et le Mal, le permis et le défendu : pour lui *tout* est permis. Innocent comme le prince Muichkine qui "vit dans un perpétuel présent, nuancé de sourires et d'indifférence". Un innocent dans tous les sens du terme, un "Idiot" aussi, si vous voulez. »

coup plus accueillantes que les personnes. Regardez celles-ci, mais regardez-les! *(Il désigne l'œil de l'idiot.)* Elles
sont douze sur son œil comme sur une tartine [1], et lui,
cependant, il sourit aux anges, il a l'air d'aimer qu'on lui
70   tète les yeux. Et, par le fait, il vous sort de ces mirettes-là [2]
un suint blanc qui ressemble à du lait caillé. *(Il chasse
les mouches.)* C'est bon, vous autres, c'est bon! Tenez,
les voilà sur vous. *(Il les chasse.)* Eh bien, cela vous met
à l'aise : vous qui vous plaigniez tant d'être un étranger
75   dans votre propre pays, ces bestioles vous font la fête,
elles ont l'air de vous reconnaître. *(Il les chasse.)* Allons,
paix! paix! pas d'effusions! D'où viennent-elles? Elles font
plus de bruit que des crécelles [3] et sont plus grosses que
des libellules.

80   JUPITER, *qui s'était approché.* — Ce ne sont que des mouches à viande un peu grasses. Il y a quinze ans qu'une puis-
sante odeur de charogne les attira sur la ville. Depuis lors
elles engraissent. Dans quinze ans elles auront atteint la
taille de petites grenouilles.

                                                Un silence.

85   LE PÉDAGOGUE. — A qui avons-nous l'honneur?

JUPITER. — Mon nom est Démétrios. Je viens d'Athènes.

ORESTE. — Je crois vous avoir vu sur le bateau, la quin-
zaine dernière.

JUPITER. — Je vous ai vu aussi.

                      Cris horribles dans le palais.

90   LE PÉDAGOGUE. — Hé là! Hé là! Tout cela ne me dit rien
qui vaille et je suis d'avis, mon maître, que nous ferions
mieux de nous en aller.

ORESTE. — Tais-toi.

JUPITER. — Vous n'avez rien à craindre. C'est la fête des
95   morts aujourd'hui. Ces cris marquent le commencement
de la cérémonie.

---

1. Souvenir probable du conte de Grimm, *le Vaillant Petit Tailleur*. La réminiscence est
en core plus nette dans l'acte II, deuxième tableau, scène 2; le premier soldat donne une
gifle au deuxième et s'écrie : « [...] regarde, j'en ai tué sept d'un coup, tout un essaim ».
2. *Mirettes :* les yeux, en argot.
3. Crécelle : petit instrument de bois, en forme de moulinet, et produisant un son aigre.
Les lépreux s'en servaient, au Moyen Age, pour annoncer leur approche et faire fuir les
passants.

ORESTE. — Vous semblez fort renseigné sur Argos.

JUPITER. — J'y viens souvent. J'étais là, savez-vous, au retour du roi Agamemnon, quand la flotte victorieuse des
100 Grecs mouilla dans la rade de Nauplie[1]. On pouvait apercevoir les voiles blanches[2] du haut des remparts. *(Il chasse les mouches.)* Il n'y avait pas encore de mouches, alors. Argos n'était qu'une petite ville de province, qui s'ennuyait indolemment sous le soleil. Je suis monté sur le
105 chemin de ronde avec les autres, les jours qui suivirent, et nous avons longuement regardé le cortège royal qui cheminait dans la plaine. Au soir du deuxième jour la reine Clytemnestre parut sur les remparts, accompagnée d'Égisthe, le roi actuel. Les gens d'Argos virent leurs visages rougis
110 par le soleil couchant; ils les virent se pencher au-dessus des créneaux et regarder longtemps vers la mer; et ils pensèrent : « Il va y avoir du vilain. » Mais ils ne dirent rien. Égisthe, vous devez le savoir, c'était l'amant de la reine Clytemnestre. Un ruffian[3] qui, à l'époque, avait
115 déjà de la propension à la mélancolie. Vous semblez fatigué?

ORESTE. — C'est la longue marche que j'ai faite et cette maudite chaleur. Mais vous m'intéressez.

JUPITER. — Agamemnon était bon homme, mais il eut
120 un grand tort, voyez-vous. Il n'avait pas permis que les exécutions capitales eussent lieu en public. C'est dommage. Une bonne pendaison, cela distrait, en province, et cela blase un peu les gens sur la mort. Les gens d'ici n'ont rien dit, parce qu'ils s'ennuyaient et qu'ils voulaient voir
125 une mort violente. Ils n'ont rien dit quand ils ont vu leur roi paraître aux portes de la ville. Et quand ils ont vu Clytemnestre lui tendre ses beaux bras parfumés, ils n'ont rien dit. A ce moment-là il aurait suffi d'un mot, d'un seul mot, mais ils se sont tus, et chacun d'eux avait,
130 dans sa tête, l'image d'un grand cadavre à la face éclatée.

ORESTE. — Et vous, vous n'avez rien dit?

---

1. Voir p. 19, note 3.
2. Symbole d'un heureux retour. *Cf.* le mythe de Thésée.
3. Un *ruffian* : un débauché.

JUPITER. — Cela vous fâche, jeune homme? J'en suis fort aise; voilà qui prouve vos bons sentiments[1]. Eh bien non, je n'ai pas parlé : je ne suis pas d'ici, et ce n'étaient
135 pas mes affaires. Quant aux gens d'Argos, le lendemain, quand ils ont entendu leur roi hurler de douleur dans le palais, ils n'ont rien dit encore, ils ont baissé leurs paupières sur leurs yeux retournés de volupté, et la ville tout entière était comme une femme en rut.

140 ORESTE. — Et l'assassin règne. Il a connu quinze ans de bonheur. Je croyais les Dieux justes.

JUPITER. — Hé là! N'incriminez pas les Dieux si vite. Faut-il donc toujours punir? Valait-il pas mieux tourner ce tumulte au profit de l'ordre moral?

145 ORESTE. — C'est ce qu'ils ont fait?

JUPITER. — Ils ont envoyé les mouches.

LE PÉDAGOGUE. — Qu'est-ce que les mouches ont à faire là-dedans?

---

1. L'expression est péjorative chez Sartre comme chez Gide. Les *bons sentiments* sont caractéristiques des « bourgeois ». Or, si l'on en croit Jupiter, Oreste aurait été « recueilli et élevé par de riches bourgeois d'Athènes » (p. 26, l. 240). Oreste lui-même d'ailleurs le confirmera : « Ce sont des bourgeois d'Athènes qui m'ont élevé » (acte II, sc. 4).

● L' « ordre moral » et la politique du « mea culpa »

Il y a là une allusion à la politique de Vichy sous l'occupation allemande. *Cf.* « Paris sous l'occupation », dans *Situations III* : « Dans le moment où nous allions nous abandonner au remords, les gens de Vichy et les collaborateurs, en tentant de nous y pousser, nous retenaient. L'occupation, ce n'était pas seulement cette présence constante des vainqueurs dans nos villes : c'était aussi sur tous les murs, dans les journaux, cette immonde image qu'ils voulaient nous donner de nous-mêmes. Les collaborateurs commençaient par en appeler à notre bonne foi : "Nous sommes vaincus, disaient-ils, montrons-nous beaux joueurs : reconnaissons nos fautes." Et, tout aussitôt après : "Convenons que le Français est léger, étourdi, vantard, égoïste, qu'il ne comprend rien aux nations étrangères, que la guerre a surpris notre pays en pleine décomposition." Des affiches humoristiques ridiculisaient nos derniers espoirs. Devant tant de bassesse et de ruses si grossières, nous nous raidissions, nous avions envie d'être fiers de nous-mêmes. »

JUPITER. — Oh! c'est un symbole. Mais ce qu'ils ont
150 fait, jugez-en sur ceci : vous voyez cette vieille cloporte [1],
là-bas, qui trottine de ses petites pattes noires, en rasant
les murs; c'est un beau spécimen de cette faune noire et
plate qui grouille dans les lézardes. Je bondis sur l'insecte,
je le saisis et je vous le ramène. *(Il saute sur la vieille et la*
155 *ramène sur le devant de la scène.)* Voilà ma pêche. Regardez-moi l'horreur! Hou! Tu clignes des yeux, et pourtant vous êtes habitués, vous autres, aux glaives rougis à
blanc du soleil. Voyez ces soubresauts de poisson au bout
d'une ligne. Dis-moi, la vieille, il faut que tu aies perdu des
160 douzaines de fils : tu es noire de la tête aux pieds. Allons,
parle et je te lâcherai peut-être. De qui portes-tu le deuil?

LA VIEILLE. — C'est le costume d'Argos.

JUPITER. — Le costume d'Argos? Ah! je comprends.
C'est le deuil de ton roi que tu portes, de ton roi assassiné.

165 LA VIEILLE. — Tais-toi! Pour l'amour de Dieu, tais-toi!

JUPITER. — Car tu es assez vieille pour les avoir enten-
dus, toi, ces énormes cris qui ont tourné en rond tout un
matin dans les rues de la ville. Qu'as-tu fait?

LA VIEILLE. — Mon homme était aux champs, que pou-
170 vais-je faire? J'ai verrouillé ma porte.

JUPITER. — Oui, et tu as entrouvert ta fenêtre pour
mieux entendre et tu t'es mise aux aguets derrière tes
rideaux, le souffle coupé, avec une drôle de chatouille aux
creux des reins.

175 LA VIEILLE. — Tais-toi!

JUPITER. — Tu as rudement bien dû faire l'amour cette
nuit-là. C'était une fête, hein?

LA VIEILLE. — Ah! Seigneur, c'était... une horrible fête.

JUPITER. — Une fête rouge dont vous n'avez pu enterrer
180 le souvenir.

LA VIEILLE. — Seigneur! Êtes-vous un mort?

---

1. *Cloporte :* le nom est normalement masculin. Dans l'*Électre* de Giraudoux il s'appli-
quait à Agathe qui, pour échapper au destin, « regagn[ait] le dessous de sa pierre [comme]
la petite cloporte qui a eu la menace du jour » (acte I, sc. 5).

JUPITER. — Un mort! Va, va, folle! Ne te soucie pas de ce que je suis; tu feras mieux de t'occuper de toi-même et de gagner le pardon du Ciel par ton repentir.

¹⁸⁵ LA VIEILLE. — Ah! je me repens, Seigneur, si vous saviez comme je me repens, et ma fille aussi se repent, et mon gendre sacrifie une vache tous les ans, et mon petit-fils, qui va sur ses sept ans, nous l'avons élevé dans la repentance : il est sage comme une image, tout blond et déjà ¹⁹⁰ pénétré par le sentiment de sa faute originelle.

JUPITER. — C'est bon, va-t'en, vieille ordure, et tâche de crever dans le repentir. C'est ta seule chance de salut. *(La vieille s'enfuit.)* Ou je me trompe fort, mes maîtres, ou voilà de la bonne piété, à l'ancienne, solidement assise sur ¹⁹⁵ la terreur.

ORESTE. — Quel homme êtes-vous?

JUPITER. — Qui se soucie de moi? Nous parlions des Dieux. Eh bien, fallait-il foudroyer Égisthe?

ORESTE. — Il fallait... Ah! je ne sais pas ce qu'il fallait, ²⁰⁰ et je m'en moque; je ne suis pas d'ici. Est-ce qu'Égisthe se repent?

● **Un personnage sartrien : la vieille femme**

Dans *la Nausée* (« Folio », p. 51), Antoine Roquentin, le front contre la vitre, contemple une vieille femme qui l'agace :
« Elle trottine avec entêtement, avec des yeux perdus. Parfois elle s'arrête d'un air apeuré, comme si un invisible danger l'avait frôlée. La voilà sous ma fenêtre, le vent plaque ses jupes contre ses genoux. Elle s'arrête, elle arrange son fichu. Ses mains tremblent. Elle repart : à présent, je la vois de dos. Vieille cloporte! Je suppose qu'elle va tourner à droite dans le boulevard Noir. Ça lui fait une centaine de mètres à parcourir : du train dont elle va, elle y mettra bien dix minutes, dix minutes pendant lesquelles je resterai comme ça, à la regarder, le front collé contre la vitre. Elle va s'arrêter vingt fois, repartir, s'arrêter... [...] Je ne distingue plus le présent du futur et pourtant ça dure, ça se réalise peu à peu; la vieille avance dans la rue déserte; elle déplace des gros souliers d'homme. C'est ça le temps, le temps tout nu, ça vient lentement à l'existence, ça se fait attendre et quand ça vient, on est écœuré parce qu'on s'aperçoit que c'était déjà là depuis longtemps. La vieille approche du coin de la rue, ce n'est plus qu'un petit tas d'étoffes noires. Eh bien, oui, je veux bien, c'est neuf, ça, elle n'était pas là-bas tout à l'heure. Mais c'est du neuf terni, défloré, qui ne peut jamais surprendre. Elle va tourner le coin de la rue, elle tourne — pendant une éternité. »

JUPITER. — Égisthe? J'en serais bien étonné. Mais qu'importe. Toute une ville se repent pour lui. Ça se compte au poids, le repentir. *(Cris horribles dans le* 205 *palais.)* Écoutez! Afin qu'ils n'oublient jamais les cris d'agonie de leur roi, un bouvier choisi pour sa voix forte hurle ainsi, à chaque anniversaire, dans la grande salle du palais. *(Oreste fait un geste de dégoût.)* Bah! ce n'est rien; que direz-vous tout à l'heure, quand on lâchera 210 les morts. Il y a quinze ans, jour pour jour, qu'Agamemnon fut assassiné. Ah! qu'il a changé depuis, le peuple léger d'Argos, et qu'il est proche à présent de mon cœur!

ORESTE. — De *votre* cœur?

JUPITER. — Laissez, laissez, jeune homme. Je parlais 215 pour moi-même. J'aurais dû dire : proche du cœur des Dieux.

ORESTE. — Vraiment? Des murs barbouillés de sang, des millions de mouches, une odeur de boucherie, une chaleur de cloporte, des rues désertes, un Dieu à face d'as-220 sassiné [1], des larves terrorisées qui se frappent la poitrine au fond de leurs maisons — et ces cris, ces cris insupportables : est-ce là ce qui plaît à Jupiter?

JUPITER. — Ah! ne jugez pas les Dieux, jeune homme, ils ont des secrets douloureux.

Un silence.

225   ORESTE. — Agamemnon avait une fille, je crois? Une fille du nom d'Électre?

---

1. L'expression renvoie à la statue de Jupiter à la « face barbouillée de sang » qui se trouve sur la scène. Mais elle désignerait tout aussi bien la face du Christ crucifié. L'ambiguïté est assurément volontaire.

● **La tentation de l'irresponsabilité**

Je ne suis pas d'ici (l. 200) : cette réplique d'Oreste marque un net recul depuis sa volonté d'enracinement initiale (*Je suis né ici*, l. 18 et 21). De plus, elle fait écho à Jupiter (*Je ne suis pas d'ici, et ce n'étaient pas mes affaires*, l. 134). Les dirigeants veulent faire peser sur les épaules des dirigés le poids des actes (le repentir forcé) pour mieux s'en laver eux-mêmes les mains. C'est ainsi qu'Égisthe n'a pas besoin de se repentir : *Toute une ville se repent pour lui* (l. 203).

JUPITER. — Oui. Elle vit ici. Dans le palais d'Égisthe — que voilà.

ORESTE. — Ah! c'est le palais d'Égisthe? — Et que pense
230 Électre de tout ceci?

JUPITER. — Bah! C'est une enfant. Il y avait un fils aussi, un certain Oreste. On le dit mort.

ORESTE. — Mort! Parbleu...

LE PÉDAGOGUE. — Mais oui, mon maître, vous savez
235 bien qu'il est mort. Les gens de Nauplie nous ont conté qu'Égisthe avait donné l'ordre de l'assassiner, peu après la mort d'Agamemnon.

JUPITER. — Certains ont prétendu qu'il était vivant. Ses meurtriers, pris de pitié, l'auraient abandonné dans la
240 forêt. Il aurait été recueilli et élevé par de riches bourgeois d'Athènes. Pour moi, je souhaite qu'il soit mort.

ORESTE. — Pourquoi, s'il vous plaît?

JUPITER. — Imaginez qu'il se présente un jour aux portes de cette ville...

245 ORESTE. — Eh bien?

JUPITER. — Bah! Tenez, si je le rencontrais alors, je lui dirais... je lui dirais ceci : « Jeune homme... » Je l'appellerais : jeune homme, car il a votre âge, à peu près, s'il vit. A propos, Seigneur, me direz-vous votre nom?

250 ORESTE. — Je me nomme Philèbe [1] et je suis de Corinthe. Je voyage pour m'instruire, avec un esclave qui fut mon précepteur.

JUPITER. — Parfait. Je dirais donc : « Jeune homme, allez-vous-en! Que cherchez-vous ici? Vous voulez faire
255 valoir vos droits? Eh! vous êtes ardent et fort, vous feriez un brave capitaine dans une armée bien batailleuse, vous avez mieux à faire qu'à régner sur une ville à demi-morte, une charogne de ville tourmentée par les mouches. Les gens d'ici sont de grands pécheurs, mais voici qu'ils se
260 sont engagés dans la voie du rachat. Laissez-les, jeune homme, laissez-les, respectez leur douloureuse entreprise, éloignez-vous sur la pointe des pieds. Vous ne sauriez

---

1. Le nom vient peut-être du *Philèbe* de Platon; le personnage qui donne son titre au dialogue soutient la thèse selon laquelle le bien s'identifie au plaisir.

partager leur repentir, car vous n'avez pas eu de part à leur crime, et votre impertinente innocence vous sépare
²⁶⁵ d'eux comme un fossé profond. Allez-vous-en, si vous les aimez un peu. Allez-vous-en, car vous allez les perdre : pour peu que vous les arrêtiez en chemin, que vous les détourniez, fût-ce un instant, de leurs remords, toutes leurs fautes vont se figer sur eux comme de la graisse refroi-
²⁷⁰ die. Ils ont mauvaise conscience, ils ont peur — et la peur, la mauvaise conscience ont un fumet délectable pour les narines des Dieux. Oui, elles plaisent aux Dieux, ces âmes pitoyables. Voudriez-vous leur ôter la faveur divine? Et que leur donnerez-vous en échange? Des digestions tran-
²⁷⁵ quilles, la paix morose des provinces et l'ennui, ah!, l'ennui si quotidien du bonheur. Bon voyage, jeune homme, bon voyage; l'ordre d'une cité et l'ordre des âmes sont instables : si vous y touchez, vous provoquerez une catastrophe. *(Le regardant dans les yeux).* Une ter-
²⁸⁰ rible catastrophe qui retombera sur vous.

ORESTE. — Vraiment? C'est là ce que vous diriez? Eh bien, si j'étais, moi, ce jeune homme, je vous répondrais... *(Ils se mesurent du regard; le Pédagogue tousse* [1]*.)* Bah! Je ne sais pas ce que je vous répondrais. Peut-être avez-
²⁸⁵ vous raison, et puis cela ne me regarde pas.

JUPITER. — A la bonne heure. Je souhaiterais qu'Oreste fût aussi raisonnable. Allons, la paix soit sur vous; il faut que j'aille à mes affaires.

ORESTE. — La paix soit sur vous.

²⁹⁰ JUPITER. — A propos, si ces mouches vous ennuient, voici le moyen de vous en débarrasser; regardez cet essaim qui vrombit autour de vous : je fais un mouvement du poignet, un geste du bras et je dis : « Abraxas [2], galla, galla, tsé, tsé. » Et voyez : les voilà qui dégringolent et
²⁹⁵ qui se mettent à ramper par terre comme des chenilles.

ORESTE. — Par Jupiter!

---

1. Afin d'avertir Oreste qu'il risque, en parlant, de dévoiler son identité.
2. *Abraxas :* Selon la secte gnostique des *Abraxasiens*, cet ensemble de lettres numériques donne le nombre sacré 365, qui représente les manifestations émanées du dieu suprême dans ses soixante-cinq sphères :
$A = 1; b = 2; r = 100; a = 1; x = 60; a = 1; s = 200$. Au total $= 365$.

JUPITER. — Ce n'est rien. Un petit talent de société. Je suis charmeur de mouches, à mes heures. Bonjour. Je vous reverrai.

Il sort.

SCÈNE 2

[*Oreste se demande si cet étrange barbu n'est pas un dieu. Mais le Précepteur, maître de scepticisme, lui explique que seuls les hommes existent et qu'il s'agit sans doute de quelque espion d'Égisthe. L'élève s'irrite de cette liberté d'esprit que le Pédagogue a cru devoir lui inculquer et s'étonne, devant ce palais qui fut pourtant le sien, de n'avoir aucun souvenir qui lui donne du poids. Le Pédagogue fait alors l'apologie de son propre enseignement...*]

LE PÉDAGOGUE. — [...] A présent vous voilà jeune, riche et beau, avisé comme un vieillard, affranchi de toutes les servitudes et de toutes les croyances, sans famille, sans patrie, sans religion, sans métier, libre pour tous
5 les engagements et sachant qu'il ne faut jamais s'engager, un homme supérieur enfin, capable par surcroît d'enseigner la philosophie ou l'architecture [1] dans une grande ville universitaire, et vous vous plaignez!

ORESTE. — Mais non : je ne me plains pas. Je ne peux
10 pas me plaindre : tu m'as laissé la liberté de ces fils que le vent arrache aux toiles d'araignée et qui flottent à dix pieds du sol; je ne pèse pas plus qu'un fil et je vis en l'air. Je sais que c'est une chance et je l'apprécie comme il convient. (*Un temps.*) Il y a des hommes qui naissent enga-
15 gés : ils n'ont pas le choix, on les a jetés sur un chemin, au bout du chemin il y a un acte qui les attend, *leur* acte; ils vont, et leurs pieds nus pressent fortement la terre et s'écorchent aux cailloux. Ça te paraît vulgaire, à toi, la joie d'aller *quelque part?* Et il y en a d'autres, des silen-
20 cieux, qui sentent au fond de leur cœur le poids d'images troubles et terrestres; leur vie a été changée parce que, un jour de leur enfance, à cinq ans, à sept ans... C'est bon :

---

1. Grâce aux « cours d'archéologie » que le Pédagogue est si fier d'avoir donnés à Oreste.

ce ne sont pas des hommes supérieurs. Je savais déjà, moi,
à sept ans, que j'étais exilé; les odeurs et les sons, le bruit
25 de la pluie sur les toits [1], les tremblements de la lumière,
je les laissais glisser le long de mon corps et tomber autour
de moi; je savais qu'ils appartenaient aux autres, et que je
ne pourrais jamais en faire *mes* souvenirs. Car les souvenirs
sont de grasses nourritures pour ceux qui possèdent les
30 maisons, les bêtes, les domestiques et les champs. Mais
moi... Moi, je suis libre, Dieu merci. Ah! comme je suis
libre. Et quelle superbe absence que mon âme. *(Il s'approche du palais.)* J'aurais vécu là. Je n'aurais lu aucun de
tes livres, et peut-être je n'aurais pas su lire : il est rare
35 qu'un prince sache lire. Mais, par cette porte, je serais
entré et sorti dix mille fois. Enfant, j'aurais joué avec
ses battants, je me serais arc-bouté contre eux, ils auraient grincé sans céder, et mes bras auraient appris leur
résistance. Plus tard, je les aurais poussés, la nuit, en
40 cachette, pour aller retrouver des filles. Et, plus tard
encore, au jour de ma majorité, les esclaves auraient
ouvert la porte toute grande et j'en aurais franchi le seuil
à cheval. Ma vieille porte de bois. Je saurais trouver, les
yeux fermés, ta serrure. Et cette éraflure, là, en bas, c'est
45 moi peut-être qui te l'aurais faite, par maladresse, le
premier jour qu'on m'aurait confié une lance. *(Il
s'écarte.)* Style petit-dorien [2], pas vrai? Et que dis-tu des
incrustations d'or? J'ai vu les pareilles à Dodone [3] : c'est
du beau travail. Allons, je vais te faire plaisir : ce n'est
50 pas *mon* palais, ni *ma* porte, Et nous n'avons rien à faire
ici.

LE PÉDAGOGUE. — Vous voilà raisonnable. Qu'auriez-
vous gagné à y vivre? Votre âme, à l'heure qu'il est, serait
terrorisée par un abject repentir.

55 ORESTE, *avec éclat.* — Au moins serait-il à moi. Et cette
chaleur qui roussit mes cheveux, elle serait à moi. A moi
le bourdonnement de ces mouches. A cette heure-ci, nu

---

1. Réminiscence de Verlaine (*Romances sans paroles*, « Ariettes oubliées », 3) :
« Ô bruit doux de la pluie
Par terre et sur les toits! »
2. *Style petit-dorien :* le style dorien, ou plutôt dorique, est le plus simple et le plus ancien
des styles de l'architecture grecque classique.
3. *Dodone :* un des plus anciens sanctuaires grecs, en Épire.

Mycènes : la porte dite d'Oreste débouche sur ce ravin

dans une chambre sombre du palais, j'observerais par la
fente d'un volet la couleur rouge de la lumière, j'atten-
60 drais que le soleil décline et que monte du sol, comme une
odeur, l'ombre fraîche d'un soir d'Argos, pareil à cent
mille autres et toujours neuf, l'ombre d'un soir à moi.
Allons-nous-en, Pédagogue; est-ce que tu ne comprends
pas que nous sommes en train de croupir dans la chaleur
65 des autres?

LE PÉDAGOGUE. — Ah! Seigneur, que vous me rassurez!
Ces derniers mois — pour être exact, depuis que je vous ai
révélé votre naissance — je vous voyais changer de jour
en jour, et je ne dormais plus. Je craignais...

70 ORESTE. — Quoi?

LE PÉDAGOGUE. — Mais vous allez vous fâcher.

ORESTE. — Non. Parle.

LE PÉDAGOGUE. — 'Je craignais — on a beau s'être entraîné de bonne heure à l'ironie sceptique, il vous vient
75 parfois de sottes idées — bref, je me demandais si vous ne
méditiez pas de chasser Égisthe et de prendre sa place.

● **Les deux contresens du Pédagogue**

Au moment où il retrouve Argos, Oreste arrive à « l'âge de raison ». Il est en plein désarroi. Il comprend l'indigence de cette
liberté d'esprit que son précepteur sceptique a voulu lui inculquer
et qui n'est qu'une fausse, une trompeuse liberté.
On ne saurait oublier que le pédagogue est un *esclave* (I, 1, l. 251).
Il semble avoir cherché refuge dans les délices illusoires d'une
prétendue liberté intellectuelle. « Ce pédagogue, écrit Bernard
Guyon, c'est l'homme qui fuit sa liberté dans l'illusion du scepticisme, de l'indifférence, des vains délices de la culture; qui
refuse l'"engagement", reste un être incurablement léger, insi-
gnifiant, et, à ce prix, conserve une certaine apparence de bonheur » (« Sartre et le mythe d'Oreste », *art. cit.*, p. 46). Sartre ne
conçoit la liberté ni comme une liberté d'indifférence, « en
l'air », ni comme un refuge : « Cette liberté, il ne faut pas l'envi-
sager comme un pouvoir métaphysique de la "nature" humaine
et ce n'est pas non plus la licence de faire ce qu'on veut, je ne
sais quel refuge intérieur qui nous resterait jusque dans les
chaînes. On ne fait pas ce qu'on veut et cependant on est responsable de ce qu'on est » (*Situations, II*, p. 26).
La conception que se fait le pédagogue de l'engagement est également fausse. Il l'envisage comme un acte futur, que d'ailleurs,
selon lui, on doit soigneusement éviter de commettre. Comme
si l'on n'était pas déjà « embarqué »...

ORESTE, *lentement.* — Chasser Égisthe? *(Un temps.)*
Tu peux te rassurer, bonhomme, il est trop tard. Ce n'est
pas l'envie qui me manque, de saisir par la barbe ce
⁸⁰ ruffian de sacristie et de l'arracher du trône de mon père.
Mais quoi? qu'ai-je à faire avec ces gens? Je n'ai pas vu
naître un seul de leurs enfants, ni assisté aux noces de leurs
filles, je ne partage pas leurs remords et je ne connais
pas un seul de leurs noms. C'est le barbu qui a raison :
⁸⁵ un roi doit avoir les mêmes souvenirs que ses sujets.
Laissons-les, bonhomme. Allons-nous-en. Sur la pointe
des pieds. Ah! s'il était un acte, vois-tu, un acte qui me
donnât droit de cité parmi eux; si je pouvais m'emparer,
fût-ce par un crime, de leurs mémoires, de leur terreur et
⁹⁰ de leurs espérances pour combler le vide de mon cœur,
dussé-je tuer ma propre mère...

LE PÉDAGOGUE. — Seigneur!

ORESTE. — Oui. Ce sont des songes. Partons. Vois si
l'on pourra nous procurer des chevaux, et nous pousse-
⁹⁵ rons jusqu'à Sparte, où j'ai des amis.

Entre Électre.

SCÈNE 3

[*Électre injurie la statue de Jupiter, à laquelle elle offre
des ordures, et appelle celui qu'elle attend, celui qui d'un
grand coup d'épée fendra en deux le dieu des morts. Oreste
se présente à elle comme un jeune homme de Corinthe
nommé Philèbe. Le Pédagogue s'éloigne.*]

SCÈNE 4

[*Électre clame son dégoût pour les tâches viles qui lui sont
imposées, pour la saleté qui règne dans Argos, pour la
souillure indélébile qui marque le palais, pour Clytemnestre, « cette viande chaude et goulue » qu'elle doit em-
brasser tous les soirs. Isolée dans sa ville, Électre n'a pas
le courage de partir, mais elle se prend à rêver d'une ville
propre, d'une ville gaie, d'une ville où les garçons se
promènent le soir avec les filles : Corinthe, par exemple...*]

ÉLECTRE. — Et dis-moi encore ceci, car j'ai besoin de le
savoir à cause de quelqu'un... de quelqu'un que j'attends : suppose qu'un gars de Corinthe, un de ces gars
qui rient le soir avec les filles, trouve, au retour d'un
5 voyage, son père assassiné, sa mère dans le lit du meurtrier
et sa sœur en esclavage [1], est-ce qu'il filerait doux, le gars
de Corinthe, est-ce qu'il s'en irait à reculons, en faisant
des révérences, chercher des consolations auprès de ses
amies? ou bien est-ce qu'il sortirait son épée et est-ce
10 qu'il cognerait sur l'assassin jusqu'à lui faire éclater la
tête [2]? — Tu ne réponds pas?

ORESTE. — Je ne sais pas.

ÉLECTRE. — Comment? Tu ne sais pas?

VOIX DE CLYTEMNESTRE. — Électre!

15 ÉLECTRE. — Chut!

ORESTE. — Qu'y a-t-il?

ÉLECTRE. — C'est ma mère, la reine Clytemnestre.

---

1. « Et moi on me traite en esclave » (Κἀγὼ μὲν ἀντιδούλοε), disait déjà l'Électre d'Eschyle (*Choéphores*, v. 135). Cette plainte était reprise dans les *Électre* de Sophocle (v. 814,
1192) et d'Euripide (v. 1004-1005).
2. La tête éclatée : l'image qui obsède les Argiens et qui obsède aussi Électre. *Cf.* ce
que dit Jupiter à l'acte 1 (sc. 1, l. 129-130). « Chacun d'eux avait, dans sa tête, l'image
d'un grand cadavre à la face éclatée. »

● **Le moment de l'apparition d'Électre**

Électre apparaît assez tard dans la pièce. Son nom même a été
prononcé assez tard (I, 1, l. 226). Mais on peut dire qu'elle
arrive au bon moment. Oreste, en effet, semblait près de renoncer
à la tâche qui l'attend. Détourné de l'action et de cette ville
(qui n'est pas encore sa ville) par Jupiter, puis par le Pédagogue,
déçu par l'accueil d'Argos, par ces portes qui se ferment et par
ces voix qui restent muettes, il a fini par penser qu'il était *trop
tard* (I, 2, l. 78) et qu'il valait mieux repartir *sur la pointe des
pieds* (I, 2, l. 86), éternel Ariel. Électre vient très exactement le
relancer, et elle le fait involontairement par la question qu'elle
lui pose. La réponse reste suspendue, mais Oreste ne peut qu'être
ébranlé.

SCÈNE 5

ORESTE, ÉLECTRE, CLYTEMNESTRE

ÉLECTRE. — Eh bien, Philèbe? Elle te fait donc peur?

ORESTE. — Cette tête, j'ai tenté cent fois de l'imaginer et j'avais fini par la *voir*, lasse et molle sous l'éclat des fards. Mais je ne m'attendais pas à ces yeux morts.

⁵ CLYTEMNESTRE. — Électre, le roi t'ordonne de t'apprêter pour la cérémonie. Tu mettras ta robe noire et tes bijoux. Eh bien? Que signifient ces yeux baissés? Tu serres les coudes contre tes hanches maigres, ton corps t'embarrasse... Tu es souvent ainsi en ma présence; mais je ne me ¹⁰ laisserai plus prendre à ces singeries : tout à l'heure, par la fenêtre, j'ai vu une autre Électre, aux gestes larges, aux yeux pleins de feu... Me regarderas-tu en face? Me répondras-tu, à la fin?

ÉLECTRE. — Avez-vous besoin d'une souillon pour ¹⁵ rehausser l'éclat de votre fête?

CLYTEMNESTRE. — Pas de comédie. Tu es princesse, Électre, et le peuple t'attend, comme chaque année.

ÉLECTRE. — Je suis princesse, en vérité? Et vous vous en souvenez une fois l'an, quand le peuple réclame un tableau ²⁰ de notre vie de famille pour son édification? Belle princesse, qui lave la vaisselle et garde les cochons! Égisthe m'entourera-t-il les épaules de son bras, comme l'an dernier, et sourira-t-il contre ma joue en murmurant à mon oreille des paroles de menace?

²⁵ CLYTEMNESTRE. — Il dépend de toi qu'il en soit autrement.

ÉLECTRE. — Oui, si je me laisse infecter par vos remords et si j'implore le pardon des Dieux pour un crime que je n'ai pas commis. Oui, si je baise les mains d'Égisthe en ³⁰ l'appelant mon père. Pouah! Il a du sang séché sous les ongles.

CLYTEMNESTRE. — Fais ce que tu veux. Il y a longtemps que j'ai renoncé à te donner des ordres en mon nom. Je t'ai transmis ceux du roi.

35 ÉLECTRE. — Qu'ai-je à faire des ordres d'Égisthe? C'est votre mari, ma mère, votre très cher mari, non le mien.

CLYTEMNESTRE. — Je n'ai rien à te dire, Électre. Je vois que tu travailles à ta perte et à la nôtre. Mais comment te conseillerais-je, moi qui ai ruiné ma vie en un seul matin?
40 Tu me hais, mon enfant, mais ce qui m'inquiète davantage, c'est que tu me ressembles : j'ai eu ce visage pointu, ce sang inquiet, ces yeux sournois — et il n'en est rien sorti de bon.

ÉLECTRE. — Je ne veux pas vous ressembler! Dis, Phi-
45 lèbe, toi qui nous vois toutes deux, l'une près de l'autre, ça n'est pas vrai, je ne lui ressemble pas?

ORESTE. — Que dire? Son visage semble un champ ravagé par la foudre et la grêle. Mais il y a sur le tien comme une promesse d'orage : un jour la passion va le
50 brûler jusqu'à l'os.

ÉLECTRE. — Une promesse d'orage? Soit. Cette ressemblance-là, je l'accepte. Puisses-tu dire vrai.

CLYTEMNESTRE. — Et toi? Toi qui dévisages ainsi les gens, qui donc es-tu? Laisse-moi te regarder à mon tour. Et que
55 fais-tu ici?

ÉLECTRE, *vivement*. — C'est un Corinthien du nom de Philèbe. Il voyage.

• **La ressemblance d'Électre et de Clytemnestre**

Ce qui m'inquiète davantage, c'est que tu me ressembles (l. 40); dans l'*Électre* de Giraudoux (acte II, sc. 5), Clytemnestre découvrait aussi cette ressemblance qu'Électre refusait, — voulant être seulement la fille de son père :

« CLYTEMNESTRE. — A quoi te sert d'éclabousser toutes les femmes en m'éclaboussant! Tu souilleras pour les yeux d'Oreste tout ce par quoi tu me ressembles.
ÉLECTRE. — Je ne te ressemble en rien. Depuis longtemps, je ne regarde plus mon miroir que pour m'assurer de cette chance. Tous les marbres polis, tous les bassins d'eau ont l'ont déjà crié, ton visage me le crie : le nez d'Électre n'a rien du nez de Clytemnestre. Mon front est à moi. Ma bouche est à moi. Et je n'ai pas d'amant. »

C'est Eugène O'Neill, qui a le plus exploité cette ressemblance. Dans *les Mouches*, elle sera confirmée par les Érinnyes après l'exécution du double meurtre (III, 1, l. 113).
Cette ambiguïté mère/sœur peut avoir une explication psychanalytique, que donne Sartre lui-même dans *les Mots* (voir p. 102).

CLYTEMNESTRE. — Philèbe? Ah!

ÉLECTRE. — Vous sembliez craindre un autre nom?

60 CLYTEMNESTRE. — Craindre? Si j'ai gagné quelque chose à me perdre, c'est que je ne peux plus rien craindre, à présent. Approche, étranger, et sois le bienvenu. Comme tu es jeune! Quel âge as-tu donc?

ORESTE. — Dix-huit ans.

65 CLYTEMNESTRE. — Tes parents vivent encore?

ORESTE. — Mon père est mort.

CLYTEMNESTRE. — Et ta mère? Elle doit avoir mon âge à peu près? Tu ne dis rien? C'est qu'elle te paraît plus jeune que moi sans doute, elle peut encore rire et chanter en ta 70 compagnie. L'aimes-tu? Mais réponds? Pourquoi l'as-tu quittée?

ORESTE. — Je vais m'engager à Sparte [1], dans les troupes mercenaires.

CLYTEMNESTRE. — Les voyageurs font à l'ordinaire un 75 détour de vingt lieues pour éviter notre ville. On ne t'a donc pas prévenu? Les gens de la plaine nous ont mis en quarantaine : ils regardent notre repentir comme une peste, et ils ont peur d'être contaminés.

ORESTE. — Je le sais.

80 CLYTEMNESTRE. — Ils t'ont dit qu'un crime inexpiable, commis voici quinze ans, nous écrasait?

ORESTE. — Ils me l'ont dit.

CLYTEMNESTRE. — Que la reine Clytemnestre était la plus coupable? Que son nom était maudit entre tous?

85 ORESTE. — Ils me l'ont dit.

CLYTEMNESTRE. — Et tu es venu pourtant? Étranger, je suis la reine Clytemnestre.

ÉLECTRE. — Ne t'attendris pas, Philèbe, la reine se divertit à notre jeu national : le jeu des confessions publi-90 ques. Ici, chacun crie ses péchés à la face de tous; et il n'est pas rare, aux jours fériés, de voir quelque commerçant, après avoir baissé le rideau de fer de sa boutique, se traîner sur les genoux dans les rues, frottant ses cheveux de

---

1. *Cf.* acte I, sc. 2, l. 94-95 : « Nous pousserons jusqu'à Sparte, où j'ai des amis. »

poussière et hurlant qu'il est un assassin, un adultère
95 ou un prévaricateur. Mais les gens d'Argos commencent
à se blaser : chacun connaît par cœur les crimes des
autres; ceux de la reine en particulier n'amusent plus
personne, ce sont des crimes officiels, des crimes de fon-
dation, pour ainsi dire. Je te laisse à penser sa joie lors-
100 qu'elle t'a vu, tout jeune, tout neuf, ignorant jusqu'à
son nom : quelle occasion exceptionnelle! Il lui semble
qu'elle se confesse pour la première fois.

CLYTEMNESTRE. — Tais-toi. N'importe qui peut me
cracher au visage, en m'appelant criminelle et prostituée.
105 Mais personne n'a le droit de juger mes remords.

ÉLECTRE. — Tu vois, Philèbe : c'est la règle du jeu. Les
gens vont t'implorer pour que tu les condamnes. Mais
prends bien garde de ne les juger que sur les fautes qu'ils
t'avouent : les autres ne regardent personne, et ils te sau-
110 raient mauvais gré de les découvrir.

CLYTEMNESTRE. — Il y a quinze ans, j'étais la plus belle
femme de Grèce. Vois mon visage, et juge de ce que j'ai
souffert. Je te le dis sans fard! ce n'est pas la mort du
vieux bouc [1] que je regrette! Quand je l'ai vu saigner dans
115 sa baignoire [2], j'ai chanté de joie, j'ai dansé. Et aujourd'hui
encore, après quinze ans passés, je n'y songe pas sans
un tressaillement de plaisir. Mais j'avais un fils — il aurait
ton âge. Quand Égisthe l'a livré aux mercenaires, je...

ÉLECTRE. — Vous aviez une fille aussi, ma mère, il me
120 semble. Vous en avez fait une laveuse de vaisselle. Mais
cette faute-là ne vous tourmente pas beaucoup.

CLYTEMNESTRE. — Tu es jeune, Électre. Il a beau jeu de
condamner,celui qui est jeune et qui n'a pas eu le temps
de faire le mal. Mais patience : un jour, tu traîneras après
125 toi un crime irréparable. A chaque pas tu croiras t'en éloigner, et pourtant il sera toujours aussi lourd à traîner. Tu
te retourneras et tu le verras derrière toi, hors d'atteinte,
sombre et pur comme un cristal noir. Et tu ne le compren-
dras même plus, tu diras : « Ce n'est pas moi, ce n'est pas
130 *moi* qui l'ai fait. » Pourtant, il sera là, cent fois renié, tou-

---

1. Le *vieux bouc* : Agamemnon. Allusion peut-être à sa liaison avec Cassandre.
2. Le roi des rois a été frappé dans son bain. Giraudoux avait beaucoup insisté sur ce motif dans son *Électre*.

jours là, à te tirer en arrière. Et tu sauras enfin que tu as
engagé ta vie sur un seul coup de dés, une fois pour toutes,
et que tu n'as plus rien à faire qu'à haler ton crime jusqu'à ta mort. Telle est la loi, juste et injuste, du repentir.
[135] Nous verrons alors ce que deviendra ton jeune orgueil.

    ÉLECTRE. — Mon *jeune* orgueil? Allez, c'est votre jeu-
nesse que vous regrettez, plus encore que votre crime;
c'est ma jeunesse que vous haïssez, plus encore que mon
innocence.

[140]   CLYTEMNESTRE. — Ce que je hais en toi, Électre, c'est
moi-même. Ce n'est pas ta jeunesse — oh non! — c'est la
mienne.

    ÉLECTRE. — Et moi, c'est *vous*, c'est bien *vous* que je hais.

    CLYTEMNESTRE. — Honte! Nous nous injurions comme
[145] deux femmes de même âge qu'une rivalité amoureuse a
dressées l'une contre l'autre. Et pourtant je suis ta mère.
Je ne sais qui tu es, jeune homme, ni ce que tu viens faire
parmi nous, mais ta présence est néfaste. Électre me
déteste, et je ne l'ignore pas. Mais nous avons durant
[150] quinze années gardé le silence, et seuls nos regards nous
trahissaient. Tu es venu, tu nous as parlé, et nous voilà,
montrant les dents et grondant comme des chiennes. Les
lois de la cité nous font un devoir de t'offrir l'hospitalité [1],
mais je ne te le cache pas, je souhaite que tu t'en ailles.
[155] Quant à toi, mon enfant, ma trop fidèle image, je ne
t'aime pas, c'est vrai. Mais je me couperais plutôt la
main droite que de te nuire. Tu ne le sais que trop; tu
abuses de ma faiblesse. Mais je ne te conseille pas de dresser
contre Égisthe ta petite tête venimeuse : il sait, d'un
[160] coup de bâton, briser les reins de vipères [2]. Crois-moi,
fais ce qu'il t'ordonne, sinon il t'en cuira.

    ÉLECTRE. — Vous pouvez répondre au roi que je ne
paraîtrai pas à la fête. Sais-tu ce qu'ils font, Philèbe? Il
y a, au-dessus de la ville, une caverne dont nos jeunes gens
[165] n'ont jamais trouvé le fond; on dit qu'elle communique

---

    1. *L'hospitalité* était un devoir sacré chez les Grecs.
    2. Le symbolisme ophidien semble inséparable du mythe d'Électre. Chez Eschyle déjà
il apparaît dans toute son ambivalence : Oreste considère sa mère comme un serpent, mais
il se reconnaît lui-même dans le serpent du songe de Clytemnestre. Sur ce point, voir
P. Brunel, *le Mythe d'Électre*, p. 32; et, d'une manière plus générale, Gilbert Durand,
les Structures anthropologiques de l'imaginaire, Bordas, 1969, p. 364.

avec les enfers, le Grand Prêtre l'a fait boucher par une
grosse pierre. Eh bien, le croiras-tu? A chaque anniversaire, le peuple se réunit devant cette caverne, des
soldats repoussent de côté la pierre qui en bouche l'en-
170 trée, et nos morts, à ce qu'on dit, remontant des enfers,
se répandent dans la ville. On met leurs couverts sur les
tables, on leur offre des chaises et des lits, on se pousse
un peu pour leur faire place à la veillée, ils courent partout, il n'y en a plus que pour eux. Tu devines les lamen-
175 tations des vivants : « Mon petit mort, mon petit mort,
je n'ai pas voulu t'offenser, pardonne-moi. » Demain
matin, au chant du coq, ils rentreront sous terre, on rou-
lera la pierre contre l'entrée de la grotte, et ce sera fini
jusqu'à l'année prochaine. Je ne veux pas prendre part à
180 ces mômeries[1]. Ce sont leurs morts, non les miens.

CLYTEMNESTRE. — Si tu n'obéis pas de ton plein gré, le
roi a donné l'ordre qu'on t'amène de force.

ÉLECTRE. — De force?... Ha! ha! De force? C'est bon.
Ma bonne mère, s'il vous plaît, assurez le roi de mon
185 obéissance. Je paraîtrai à la fête, et, puisque le peuple veut
m'y voir, il ne sera pas déçu. Pour toi, Philèbe, je t'en prie,
diffère ton départ, assiste à notre fête. Peut-être y trouve-
ras-tu l'occasion de rire. A bientôt, je vais m'apprêter.

Elle sort.

CLYTEMNESTRE, *à Oreste.* — Va-t'en. Je suis sûre que tu
190 vas nous porter malheur. Tu ne peux pas nous en vouloir,
nous ne t'avons rien fait. Va-t'en. Je t'en supplie par ta
mère, va-t'en.

Elle sort.

ORESTE. — Par ma mère...

Entre Jupiter.

SCÈNE 6

[*Jupiter invite aussi Oreste à partir et s'offre même à
lui procurer deux juments harnachées à bas prix. Oreste
refusant, il lui propose d'être son mentor et de loger dans
la même auberge que lui.*]

---

1. *Mômeries* : simagrées. En ce sens, le mot ne devrait pas prendre d'accent circonflexe.

Première représentation, Théâtre de la Cité,
mise en scène de Charles Dullin, 1943

LE GRAND PRÊTRE. — « Vous, les oubliés,
les abandonnés... vous les morts,
debout, c'est votre fête ! »

(II, I, 2, l. 22 et suiv.)

ACTE DEUXIÈME

PREMIER TABLEAU

Une plate-forme dans la montagne. A droite, la caverne. L'entrée est fermée par une grande pierre noire. A gauche, des marches conduisent à un temple.

SCÈNE PREMIÈRE

[*La foule attend, dans la crainte et le tremblement, que les morts surgissent de terre. Cette attente est peut-être plus insupportable que tout.*]

LA JEUNE FEMME [1]. — Horrible, horrible attente. Il me semble, vous tous, que vous vous éloignez lentement de moi. La pierre [2] n'est pas encore ôtée, et déjà chacun est en proie à ses morts, seul comme une goutte de pluie.

Entrent Jupiter, Oreste, le Pédagogue.

5   JUPITER. — Viens par ici, nous serons mieux.

---

1. Une veuve dont le mari a dû attendre d'être outre-tombe pour apprendre qu'elle le trompait depuis dix ans.
2. Cf. I, sc. 5, l. 163 et suiv., les explications qu'Électre a données à Or...te.

ORESTE. — Les voilà donc, les citoyens d'Argos, les très
fidèles sujets du roi Agamemnon?

LE PÉDAGOGUE. — Qu'ils sont laids! Voyez, mon maître,
leur teint de cire, leurs yeux caves. Ces gens-là sont en
10 train de mourir de peur. Voilà pourtant l'effet de la superstition. Regardez-les, regardez-les. Et s'il vous faut encore
une preuve de l'excellence de ma philosophie, considérez
ensuite mon teint fleuri.

JUPITER. — La belle affaire qu'un teint fleuri! Quelques
15 coquelicots sur tes joues, mon bonhomme, ça ne t'empê-
chera pas d'être du fumier, comme tous ceux-ci, aux yeux
de Jupiter. Va, tu empestes, et tu ne le sais pas. Eux,
cependant, ont les narines remplies de leurs propres
odeurs, ils se connaissent mieux que toi.

La foule gronde.

20 UN HOMME, *montant sur les marches du temple, s'adresse
à la foule.* — Veut-on nous rendre fous? Unissons nos
voix, camarades, et appelons Égisthe : nous ne pouvons
pas tolérer qu'il diffère plus longtemps la cérémonie.

LA FOULE. — Égisthe! Égisthe! Pitié!

25 UNE FEMME. — Ah oui! Pitié! Pitié! Personne n'aura
donc pitié de moi! Il va venir avec sa gorge ouverte,
l'homme que j'ai tant haï, il m'enfermera dans ses bras
invisibles et gluants, il sera mon amant toute la nuit,
toute la nuit. Ha!

Elle s'évanouit.

30 ORESTE. — Quelles folies! Il faut dire à ces gens...

- **Architecture humaine**

  Ici, Sartre ne construit pas seulement un texte, une scène. Il
  utilise le matériau humain et donne l'impression de la foule avec
  une remarquable économie de moyens. Le jeu des correspondances
  fait apparaître les procédés suivants :

  a) L'écho : la jeune femme/une femme sont en proie à une crainte
  analogue.

  b) L'amplification : un homme/la foule supplient tour à tour
  Égisthe de mettre fin à l'attente insupportable (on songe au dialogue du coryphée soliste et du chœur dans la tragédie antique).

  c) Le contraste : le pédagogue qui vante son teint fleuri/l'homme
  qui étale sa pourriture, deux attitudes opposées, — deux charognes pourtant aux yeux de Jupiter.

JUPITER. — Hé quoi, jeune homme, tant de bruit pour une femme qui tourne de l'œil? Vous en verrez d'autres.

UN HOMME, *se jetant à genoux.* — Je pue! Je pue! Je suis une charogne immonde. Voyez, les mouches sont sur moi
35 comme des corbeaux! Piquez, creusez, forez, mouches vengeresses, fouillez ma chair jusqu'à mon cœur ordurier. J'ai péché, j'ai cent mille fois péché, je suis un égout, une fosse d'aisance...

JUPITER. — Le brave homme!

40 DES HOMMES, *le relevant.* — Ça va, ça va. Tu raconteras ça plus tard, quand ils seront là.
L'homme reste hébété ; il souffle en roulant des yeux.

LA FOULE. — Égisthe! Égisthe. Par pitié, ordonne que l'on commence. Nous n'y tenons plus.
Égisthe paraît sur les marches du temple. Derrière lui, Clytemnestre et le Grand Prêtre. Des gardes.

SCÈNE 2

LES MÊMES, ÉGISTHE, CLYTEMNESTRE, LE GRAND PRÊTRE, LES GARDES

ÉGISTHE. — Chiens! Osez-vous bien vous plaindre? Avez-vous perdu la mémoire de votre abjection? Par Jupiter, je rafraîchirai vos souvenirs. *(Il se tourne vers Clytemnestre.)* Il faut bien nous résoudre à commencer
5 sans elle [1]. Mais qu'elle prenne garde. Ma punition sera exemplaire.

CLYTEMNESTRE. — Elle m'avait promis d'obéir [2]. Elle s'apprête; j'en suis sûre; elle doit s'être attardée devant son miroir.

10 ÉGISTHE, *aux gardes.* — Qu'on aille quérir Électre au palais et qu'on l'amène ici, de gré ou de force. *(Les gardes*

---

1. Sans Électre.
2. *Cf.*, acte I, sc. 5, l. 184-185.

sortent. A la foule.) A vos places. Les hommes à ma droite. A ma gauche les femmes et les enfants. C'est bien.

Un silence. Égisthe attend.

LE GRAND PRÊTRE. — Ces gens-là n'en peuvent plus.

15 ÉGISTHE. — Je sais. Si ces gardes...

Les gardes rentrent.

UN GARDE. — Seigneur, nous avons cherché partout la princesse. Mais le palais est désert.

ÉGISTHE. — C'est bien. Nous réglerons demain ce compte-là. *(Au Grand Prêtre.)* Commence.

20 LE GRAND PRÊTRE. — Ôtez la pierre.

LA FOULE. — Ha!

*Les gardes ôtent la pierre. Le Grand Prêtre
s'avance jusqu'à l'entrée de la caverne.*

LE GRAND PRÊTRE. — Vous, les oubliés, les abandonnés, les désenchantés, vous qui traînez au ras de terre, dans le noir, comme des fumerolles, et qui n'avez plus rien à

25 vous que votre grand dépit, vous les morts, debout, c'est votre fête! Venez, montez du sol comme une énorme vapeur de soufre chassée par le vent; montez des entrailles du monde, ô morts cent fois morts, vous que chaque battement de nos cœurs fait mourir à neuf, c'est

30 par la colère et l'amertume et l'esprit de vengeance que je vous invoque, venez assouvir votre haine sur les vivants! Venez, répandez-vous en brume épaisse à travers nos rues, glissez vos cohortes serrées entre la mère et l'enfant, entre l'amant et son amante, faites-vous regretter de n'être

35 pas morts. Debout, vampires, larves, spectres, harpies, terreur de nos nuits [1]. Debout, les soldats qui moururent en blasphémant, debout les malchanceux, les humiliés, debout les morts de faim dont le cri d'agonie fut une malédiction. Voyez, les vivants sont là, les grasses proies

40 vivantes! Debout, fondez sur eux en tourbillon et rongez-les jusqu'aux os! Debout! Debout! Debout!...

*Tam-tam. Il danse devant l'entrée de la
caverne, d'abord lentement, puis de plus
en plus vite, et tombe exténué.*

---

1. Les *vampires* sucent le sang des vivants. Les *larves* sont les fantômes pâles d'hommes entachés de quelque crime ou d'une fin tragique. Les *harpies* sont des divinités funéraires au visage de femme.

ÉGISTHE. — Ils sont là!

LA FOULE. — Horreur!

ORESTE. — C'en est trop et je vais...

45   JUPITER. — Regarde-moi, jeune homme, regarde-moi en face, là! là! Tu as compris. Silence à présent.

ORESTE. — Qui êtes-vous?

JUPITER. — Tu le sauras plus tard.
> *Égisthe descend lentement les marches du Palais.*

ÉGISTHE. — Ils sont là. *(Un silence.)* Il est là, Aricie [1], 50 l'époux que tu as bafoué. Il est là, contre toi, il t'embrasse. Comme il te serre, comme il t'aime, comme il te hait! Elle est là, Nicias, elle est là, ta mère, morte faute de soins. Et toi, Segeste, usurier infâme, ils sont là, tous tes débiteurs infortunés, ceux qui sont morts dans la misère et ceux qui 55 se sont pendus parce que tu les ruinais. Ils sont là et ce sont eux, aujourd'hui, qui sont tes créanciers. Et vous, les parents, les tendres parents, baissez un peu les yeux, regardez plus bas, vers le sol : ils sont là, les enfants morts, ils tendent leurs petites mains; et toutes les joies que vous

---

1. Il s'agit sans doute de la jeune femme qui s'exprimait dans la scène précédente

---

- **La νέχυῖα**

  L'évocation des morts est représentée dans la Bible (évocation de Samuel que Saül vient demander à la pythonisse d'Endor : *Samuel*, XXVIII, 3-19) et dans l'*Odyssée* (chant XI) quand, suivant les instructions de Circé, Ulysse fait venir les morts dans la fosse. Sartre s'est probablement souvenu de cette νέχυῖα, dont on trouverait d'autres exemples au théâtre : le *Livre des plaisanteries de la mort* (*Death's Jest-Book*) de l'écrivain romantique anglais Thomas Lovell Beddoes, ou le premier acte du *Repos du Septième Jour* de Paul Claudel.

- **Le motif de la caverne**

  Il entre probablement une intention satirique dans le choix de la caverne comme lieu d'une évocation qui n'est pour Sartre que mythe au sens négatif du terme. On rappellera à ce propos le chapitre XII de l'*Histoire des oracles* de Fontenelle : « Le prétexte des exhalaisons divines rendait les cavernes nécessaires, et il semble de plus que les cavernes inspirent d'elles-mêmes je ne sais quelle horreur, qui n'est pas inutile à la superstition. »

⁶⁰ leur avez refusées, tous les tourments que vous leur avez
infligés pèsent comme du plomb sur leurs petites âmes
rancuneuses et désolées.

LA FOULE. — Pitié!

ÉGISTHE. — Ah, oui! pitié! Ne savez-vous pas que les
⁶⁵ morts n'ont jamais de pitié? Leurs griefs sont ineffaçables,
parce que leur compte s'est arrêté pour toujours. Est-ce
par des bienfaits, Nicias, que tu comptes effacer le mal que
tu fis à ta mère? Mais quel bienfait pourra jamais l'atteindre? Son âme est un midi torride, sans un souffle
⁷⁰ de vent, rien n'y bouge, rien n'y change, rien n'y vit, un
grand soleil décharné, un soleil immobile la consume
éternellement. Les morts ne sont plus — comprenez-vous
ce mot implacable? — ils ne sont plus, et c'est pour cela
qu'ils se sont faits les gardiens incorruptibles de vos
⁷⁵ crimes.

LA FOULE. — Pitié!

ÉGISTHE. — Pitié? Ah! piètres comédiens [1], vous avez
du public aujourd'hui. Sentez-vous peser sur vos visages
et sur vos mains les regards de ces millions d'yeux fixes et
⁸⁰ sans espoir? Ils nous voient, ils nous voient, nous sommes nus devant l'assemblée des morts. Ha! ha! Vous
voilà bien empruntés à présent; il vous brûle, ce regard
invisible et pur, plus inaltérable qu'un souvenir de regard.

LA FOULE. — Pitié!

⁸⁵ LES HOMMES. — Pardonnez-nous de vivre alors que vous
êtes morts.

LES FEMMES. — Pitié. Nous sommes entourées de vos
visages et des objets qui vous ont appartenu, nous portons
votre deuil éternellement et nous pleurons de l'aube à la
⁹⁰ nuit et de la nuit à l'aube. Nous avons beau faire, votre
souvenir s'effiloche et glisse entre nos doigts; chaque jour
il pâlit un peu plus et nous sommes un peu plus coupables.
Vous nous quittez, vous nous quittez, vous vous écoulez
de nous comme une hémorragie. Pourtant, si cela pou-
⁹⁵ vait apaiser vos âmes irritées, sachez, ô nos chers disparus,
que vous nous avez gâché la vie.

---

1. L'expression trahit la distance qu'Égisthe maintient entre la foule et sa propre irresponsabilité. Pour Électre aussi il s'agissait de simples *mômeries* (I, 5, l. 180)

LES HOMMES. — Pardonnez-nous de vivre alors que vous êtes morts.

LES ENFANTS. — Pitié! Nous n'avons pas fait exprès de
100 naître [1], et nous sommes tous honteux de grandir. Comment aurions-nous pu vous offenser? Voyez, nous vivons à peine, nous sommes maigres, pâles et tout petits; nous ne faisons pas de bruit, nous glissons sans même ébranler l'air autour de nous. Et nous avons peur de vous, oh! si
105 grand-peur!

LES HOMMES. — Pardonnez-nous de vivre alors que vous êtes morts.

ÉGISTHE. — Paix! Paix! Si vous vous lamentez ainsi, que dirai-je moi, votre roi? Car mon supplice a commencé :
110 le sol tremble et l'air s'est obscurci; le plus grand des morts va paraître, celui que j'ai tué de mes mains, Agamemnon.

ORESTE, *tirant son épée.* — Ruffian! Je ne te permettrai pas de mêler le nom de mon père à tes singeries!

115 JUPITER, *le saisissant à bras-le-corps.* — Arrêtez, jeune homme, arrêtez-vous!

ÉGISTHE, *se retournant.* — Qui ose? (*Électre est apparue en robe blanche sur les marches du temple. Égisthe l'aperçoit.*) Électre!

120 LA FOULE. — Électre!

---

1. On songe au célèbre cri de Sigismond, dans *la Vie est un songe*, de Calderón : « Je suis né, voilà mon crime, le plus grand crime de l'homme. »

● **La fête des morts**

Cette scène a été très discutée. Bernard Guyon la juge difficile à mettre en scène et il estime que Charles Dullin, en 1943, avait échoué (*art. cit.*, p. 50). Mme Jacqueline Duchemin trouve que « le parti pris anti-poétique est flagrant », dans cette métamorphose des Anthestéries athéniennes en « une sorte de Toussaint vulgaire » (« les Survivances des mythes antiques dans le théâtre français », *Actes du VIIe Congrès de l'Association Guillaume Budé*, p. 94).

SCÈNE 3

LES MÊMES, ÉLECTRE

ÉGISTHE. — Électre, réponds, que signifie ce costume?

ÉLECTRE. — J'ai mis ma plus belle robe. N'est-ce pas un jour de fête?

LE GRAND PRÊTRE. — Viens-tu narguer les morts? C'est
5 leur fête, tu le sais fort bien, et tu devais paraître en habits de deuil.

ÉLECTRE. — De deuil? Pourquoi de deuil? Je n'ai pas peur de mes morts, et je n'ai que faire des vôtres!

ÉGISTHE. — Tu as dit vrai; tes morts ne sont pas nos
10 morts. Regardez-la, sous sa robe de putain, la petite-fille d'Atrée, d'Atrée qui égorgea lâchement ses neveux [1]. Qu'es-tu donc, sinon le dernier rejeton d'une race maudite! Je t'ai tolérée par pitié dans mon palais, mais je reconnais ma faute aujourd'hui, car c'est toujours le
15 vieux sang pourri des Atrides qui coule dans tes veines, et tu nous infecterais tous si je n'y mettais bon ordre. Patiente un peu, chienne [2], et tu verras si je sais punir. Tu n'auras pas assez de tes yeux pour pleurer.

LA FOULE. — Sacrilège!

20 ÉGISTHE. — Entends-tu, malheureuse, les grondements de ce peuple que tu as offensé, entends-tu le nom qu'il te donne? Si je n'étais pas là pour mettre un frein à sa colère, il te déchirerait sur place.

LA FOULE. — Sacrilège!

25 ÉLECTRE. — Est-ce un sacrilège que d'être gaie? Pourquoi ne sont-ils pas gais, eux? Qui les en empêche?

ÉGISTHE. — Elle rit et son père mort est là, avec du sang caillé sur la face...

ÉLECTRE. — Comment osez-vous parler d'Agamem-
30 non? Savez-vous s'il ne vient pas la nuit me parler à

---

1. *Atrée* (le père d'Agamemnon) tua les trois fils de son frère Thyeste et les lui servit à manger. Égisthe est fils de Thyeste.
2. Égisthe ne varie guère ses injures. Il traitait déjà de *chiens* la foule rassemblée : acte II, sc. 2, début.

l'oreille? Savez-vous quels mots d'amour et de regret sa
voix rauque et brisée me chuchote! Je ris, c'est vrai, pour
la première fois de ma vie, je ris, je suis heureuse. Pré-
tendez-vous que mon bonheur ne réjouit pas le cœur de
35 mon père? Ah! s'il est là, s'il voit sa fille en robe blanche,
sa fille que vous avez réduite au rang abject d'esclave,
s'il voit qu'elle porte le front haut et que le malheur n'a
pas abattu sa fierté, il ne songe pas, j'en suis sûre, à me
maudire; ses yeux brillent dans son visage supplicié et
40 ses lèvres sanglantes essaient de sourire.

LA JEUNE FEMME. — Et si elle disait vrai?

DES VOIX. — Mais non, elle ment, elle est folle. Électre,
va-t'en, de grâce, sinon ton impiété retombera sur nous.

ÉLECTRE. — De quoi donc avez-vous peur? Je regarde
45 autour de vous et je ne vois que vos ombres. Mais écoutez ceci que je viens d'apprendre [1] et que vous ne savez
peut-être pas : il y a en Grèce des villes heureuses. Des
villes blanches et calmes qui se chauffent au soleil comme
des lézards. A cette heure même, sous ce même ciel, il
50 y a des enfants qui jouent sur les places de Corinthe. Et
leurs mères ne demandent point pardon de les avoir mis
au monde. Elles les regardent en souriant, elles sont fières
d'eux. Ô mères d'Argos, comprenez-vous? Pouvez-vous
encore comprendre l'orgueil d'une femme qui regarde
55 son enfant et qui pense : « C'est moi qui l'ai porté dans
mon sein »?

ÉGISTHE. — Tu vas te taire, à la fin, ou je ferai rentrer
les mots dans ta gorge.

DES VOIX dans la foule. — Oui, oui! Qu'elle se taise.
60 Assez, assez!

D'AUTRES VOIX. — Non, laissez-la parler! Laissez-la
parler. C'est Agamemnon qui l'inspire.

ÉLECTRE. — Il fait beau. Partout, dans la plaine, des
hommes lèvent la tête et disent : « Il fait beau », et ils
65 sont contents. Ô bourreaux de vous-mêmes [2], avez-vous

---

1. Grâce à Oreste, dans la scène 4 de l'acte I.
2. Cf. Baudelaire, « L'Héautontimoroumenos » (les Fleurs du mal, pièce LXXXIII de l'édition de 1861) :
« Je suis de mon cœur le vampire... »

oublié cet humble contentement du paysan qui marche
sur sa terre et qui dit : « Il fait beau »? Vous voilà les bras
ballants, la tête basse, respirant à peine. Vos morts se
collent contre vous, et vous demeurez immobiles dans
70 la crainte de les bousculer au moindre geste. Ce serait
affreux, n'est-ce pas? si vos mains traversaient soudain
une petite vapeur moite, l'âme de votre père ou de votre
aïeul? — Mais regardez-moi : j'étends les bras, je m'élar-
gis, et je m'étire comme un homme qui s'éveille, j'occupe
75 ma place au soleil, toute ma place. Est-ce que le ciel me
tombe sur la tête? Je danse, voyez, je danse, et je ne sens
rien que le souffle du vent dans mes cheveux. Où sont
les morts? Croyez-vous qu'ils dansent avec moi, en
mesure?

80   LE GRAND PRÊTRE. — Habitants d'Argos, je vous dis
que cette femme est sacrilège. Malheur à elle et à ceux
d'entre vous qui l'écoutent.

     ÉLECTRE. — Ô mes chers morts, Iphigénie [1], ma sœur
aînée, Agamemnon, mon père et mon seul roi [2], écoutez
85 ma prière. Si je suis sacrilège, si j'offense vos mânes
douloureux, faites un signe, faites-moi vite un signe, afin
que je le sache. Mais si vous m'approuvez, mes chéris,
alors taisez-vous, je vous en prie, que pas une feuille ne
bouge, pas un brin d'herbe, que pas un bruit ne vienne
90 troubler ma danse sacrée : car je danse pour la joie, je
danse pour la paix des hommes, je danse pour le bonheur
et pour la vie. Ô mes morts, je réclame votre silence, afin
que les hommes qui m'entourent sachent que votre cœur
est avec moi.

Elle danse.

95   VOIX *dans la foule.* — Elle danse! Voyez-la, légère comme
une flamme, elle danse au soleil, comme l'étoffe cla-
quante d'un drapeau — et les morts se taisent!

     LA JEUNE FEMME. — Voyez son air d'extase — non, ce
n'est pas le visage d'une impie. Eh bien, Égisthe, Égisthe!
100 Tu ne dis rien — pourquoi ne réponds-tu pas?

---

1. Agamemnon avait sacrifié aux dieux sa fille, Iphigénie, pour obtenir un vent favorable
à la flotte des Grecs partant pour Troie. C'était l'un des grands griefs de Clytemnestre
contre le roi son époux.
2. Électre considère donc le roi actuel, Égisthe, comme un usurpateur.

ÉGISTHE. — Est-ce qu'on discute avec les bêtes puantes? On les détruit! J'ai eu tort de l'épargner autrefois; mais c'est un tort réparable : n'ayez crainte, je vais l'écraser contre terre, et sa race s'anéantira avec elle.

105   LA FOULE. — Menacer n'est pas répondre, Égisthe! N'as-tu rien d'autre à nous dire?

LA JEUNE FEMME. — Elle danse, elle sourit, elle est heureuse, et les morts semblent la protéger. Ah! trop enviable Électre! vois, moi aussi, j'écarte les bras et j'offre ma
110 gorge au soleil!

VOIX *dans la foule.* — Les morts se taisent : Égisthe, tu nous as menti!

ORESTE. — Chère Électre!

115   JUPITER. — Parbleu, je vais rabattre le caquet de cette gamine. *(Il étend le bras.)* Posidon caribou caribon lullaby.

> La grosse pierre qui obstruait l'entrée de
> la caverne roule avec fracas contre les marches
> du temple. Électre cesse de danser.

LA FOULE. — Horreur!

> *Un long silence.*

LE GRAND PRÊTRE. — Ô peuple lâche et trop léger : les morts se vengent! Voyez les mouches fondre sur nous en

---

● **La danse d'Électre**

C'est une invention des modernes. L'écrivain autrichien Hugo von Hofmannsthal terminait son *Elektra* (1903) sur une danse sauvage de la princesse après la mort de Clytemnestre et d'Égisthe. Cette danse de joie, cette danse de haine, était si frénétique qu'Électre tombait morte. La scène a été maintenue dans l'opéra qu'a composé Richard Strauss (1907-1908) sur le texte de Hofmannsthal (on en lira la traduction dans P. Brunel, *le Mythe d'Électre*, pp. 370-372).
Sartre a conféré à cette scène une signification différente. Électre s'élance, oubliant sa haine (elle se le reprochera, II, 4, l. 40), pour la danse du bonheur, d'un bonheur subitement entr'aperçu au cours de sa précédente conversation avec Philèbe. Les jeunes filles de Corinthe ne vont-elles pas au bal? Pourtant cette danse est interrompue, et l'on pourrait s'en étonner. C'est que ce bonheur serait trop facile, et cette liberté illusoire. Électre, nouvel Ariel, ne congédie les morts qu'en refusant d'assumer la situation de la cité.

¹²⁰ épais tourbillons! Vous avez écouté une voix sacrilège et nous sommes maudits!

LA FOULE. — Nous n'avons rien fait, ça n'est pas notre faute, elle est venue, elle nous a séduits par ses paroles empoisonnées! A la rivière, la sorcière, à la rivière! Au ¹²⁵ bûcher!

UNE VIEILLE FEMME, *désignant la jeune femme.* — Et celle-ci, là, qui buvait ses discours comme du miel, arrachez-lui ses vêtements, mettez-la toute nue et fouet-tez-la jusqu'au sang.

On s'empare de la jeune femme, des hommes gravissent des marches de l'escalier et se pré-cipitent vers Électre.

¹³⁰ ÉGISTHE, *qui s'est redressé.* — Silence, chiens. Regagnez vos places en bon ordre et laissez-moi le soin du châti-ment. *(Un silence.)* Eh bien? Vous avez vu ce qu'il en coûte de ne pas m'obéir? Douterez-vous de votre chef, à présent? Rentrez chez vous, les morts vous accompa-¹³⁵ gnent, ils seront vos hôtes tout le jour et toute la nuit. Faites-leur place à votre table, à votre foyer, dans votre couche, et tâchez que votre conduite exemplaire leur fasse oublier tout ceci. Quant à moi, bien que vos soupçons m'aient blessé, je vous pardonne. Mais toi, Électre...

¹⁴⁰ ÉLECTRE. — Eh bien quoi? J'ai raté mon coup. La pro-chaine fois je ferai mieux.

ÉGISTHE. — Je ne t'en donnerai pas l'occasion. Les lois de la cité m'interdisent de punir en ce jour de fête. Tu le savais et tu en as abusé. Mais tu ne fais plus partie de la cité, ¹⁴⁵ je te chasse. Tu partiras pieds nus et sans bagage, avec cette robe infâme sur le corps. Si tu es encore dans nos murs demain à l'aube, je donne l'ordre à quiconque te rencontrera de t'abattre comme une brebis galeuse.

Il sort, suivi des gardes. La foule défile devant Électre en lui montrant le poing.

JUPITER, *à Oreste.* — Eh bien, mon maître? Êtes-vous ¹⁵⁰ édifié? Voilà une histoire morale, ou je me trompe fort : les méchants ont été punis et les bons récompensés. *(Dé-signant Électre.)* Cette femme...

ORESTE. — Cette femme est ma sœur, bonhomme! Va-t'en, je veux lui parler.

¹⁵⁵   JUPITER *le regarde un instant, puis hausse les épaules.* —
Comme tu voudras.

Il sort, suivi du Pédagogue.

SCÈNE 4

ÉLECTRE sur les marches du temple, ORESTE

ORESTE. — Électre!

ÉLECTRE *lève la tête et le regarde.* — Ah! te voilà
Philèbe?

ORESTE. — Tu ne peux plus demeurer en cette ville,
⁵ Électre. Tu es en danger.

ÉLECTRE. — En danger? Ah! c'est vrai! Tu as vu comme
j'ai raté mon coup. C'est un peu ta faute, tu sais, mais je
ne t'en veux pas.

ORESTE. — Qu'ai-je donc fait?

¹⁰   ÉLECTRE. — Tu m'as trompée. *(Elle descend vers lui.)*
Laisse-moi voir ton visage. Oui, je me suis prise à tes yeux.

ORESTE. — Le temps presse, Électre. Écoute : nous allons
fuir ensemble. Quelqu'un¹ doit me procurer des chevaux,
je te prendrai en croupe.

¹⁵   ÉLECTRE. — Non.

ORESTE. — Tu ne veux pas fuir avec moi?

ÉLECTRE. — Je ne veux pas fuir.

ORESTE. — Je t'emmènerai à Corinthe.

ÉLECTRE, *riant.* — Ha! Corinthe... Tu vois, tu ne le fais
²⁰ pas exprès, mais tu me trompes encore. Que ferais-je à
Corinthe, moi? Il faut que je sois raisonnable. Hier encore
j'avais des désirs si modestes : quand je servais à table,
les paupières baissées, je regardais entre mes cils le couple
royal, la vieille belle au visage mort, et lui, gras et pâle,
²⁵ avec sa bouche veule et cette barbe noire qui lui court
d'une oreille à l'autre comme un régiment d'araignées,
et je rêvais de voir un jour une fumée, une petite fumée

---

1. Jupiter lui-même (voir p. 39 le résumé de I, 6).

droite, pareille à une haleine par un froid matin, monter
de leurs ventres ouverts. C'est tout ce que je demandais,
30 Philèbe, je te le jure. Je ne sais pas ce que tu veux, toi,
mais il ne faut pas que je te croie : tu n'as pas des yeux
modestes. Tu sais ce que je pensais, avant de te connaître ?
C'est que le sage ne peut rien souhaiter sur la terre, sinon
de rendre un jour le mal qu'on lui a fait.

35   ORESTE. — Électre, si tu me suis, tu verras qu'on peut
souhaiter encore beaucoup d'autres choses sans cesser
d'être sage.

ÉLECTRE. — Je ne veux plus t'écouter ; tu m'as fait beaucoup de mal. Tu es venu avec tes yeux affamés dans ton
40 doux visage de fille, et tu m'as fait oublier ma haine ; j'ai
ouvert mes mains et j'ai laissé glisser à mes pieds mon
seul trésor [1]. J'ai voulu croire que je pourrais guérir les
gens d'ici par des paroles. Tu as vu ce qui est arrivé :
ils aiment leur mal, ils ont besoin d'une plaie familière
45 qu'ils entretiennent soigneusement en la grattant de
leurs ongles sales. C'est par la violence qu'il faut les
guérir, car on ne peut vaincre le mal que par un autre mal.
Adieu, Philèbe, va-t'en, laisse-moi à mes mauvais songes.

ORESTE. — Ils vont te tuer.

50   ÉLECTRE. — Il y a un sanctuaire ici, le temple d'Apollon ;
les criminels s'y réfugient parfois, et, tant qu'ils y demeu-
rent, personne ne peut toucher à un cheveu de leur tête. Je
m'y cacherai.

ORESTE. — Pourquoi refuses-tu mon aide ?

55   ÉLECTRE. — Ce n'est pas à toi de m'aider. Quelqu'un
d'autre viendra pour me délivrer. *(Un temps.)* Mon frère
n'est pas mort, je le sais. Et je l'attends.

ORESTE. — S'il ne venait pas ?

ÉLECTRE. — Il viendra, il ne peut pas ne pas venir. Il est
60 de notre race, comprends-tu ; il a le crime et le malheur
dans le sang, comme moi. C'est quelque grand soldat, avec
les gros yeux rouges de notre père, toujours à cuver une
colère, il souffre, il s'est embrouillé dans sa destinée
comme les chevaux éventrés s'embrouillent les pattes
65 dans leurs intestins ; et maintenant, quelque mouvement

---

1. Sa haine. Chénier avait employé cette métaphore dans ses *Iambes*.

qu'il fasse, il faut qu'il s'arrache les entrailles. Il viendra, cette ville l'attire, j'en suis sûre, parce que c'est ici
qu'il peut faire le plus grand mal, qu'il peut se faire le
plus de mal. Il viendra, le front bas, souffrant et piaf-
70 fant. Il me fait peur : toutes les nuits je le vois en songe et
je m'éveille en hurlant. Mais je l'attends et je l'aime. Il
faut que je demeure ici pour guider son courroux — car
j'ai de la tête, moi — pour lui montrer du doigt les coupables et pour lui dire : « Frappe, Oreste, frappe : les
75 voilà ! »

ORESTE. — Et s'il n'était pas comme tu l'imagines ?

ÉLECTRE. — Comment veux-tu qu'il soit, le fils d'Agamemnon et de Clytemnestre ?

ORESTE. — S'il était las de tout ce sang, ayant grandi
80 dans une ville heureuse ?

ÉLECTRE. — Alors je lui cracherais au visage et je lui
dirais : « Va-t'en, chien, va chez les femmes, car tu n'es
rien d'autre qu'une femme. Mais tu fais un mauvais cal-

- ● **L'hérédité**

En disant de son frère : *il a le crime et le malheur dans le sang,
comme moi* (l. 60), Électre formule la loi de l'hérédité, qui est
l'une des formes modernes de la fatalité. C'est la découverte du
Docteur Pascal, de Zola : « Il n'y avait pas de lacune, la chaîne
se déroulait, dans son hérédité logique et implacable. » Elle a été
exploitée par les plus récents dramaturges qui aient repris le
sujet d'Électre, en particulier Eugène O'Neill et Sartre.
Il est curieux en revanche de constater que ces deux auteurs
ont l'un et l'autre accusé la dissemblance physique entre Oreste et
Agamemnon. Le fils du général Mannon, dans *le Deuil sied à
Électre*, est frêle et souffreteux. L'Oreste de Sartre a un *doux
visage de fille* (l. 40), et Électre qui attend *quelque grand soldat,
avec les gros yeux rouges de* [son] *père* (l. 61) ne saurait le reconnaître. Oreste protestera d'ailleurs, dans la suite de la scène :
« Ce reître irrité que tu attendais, est-ce ma faute si je ne lui
ressemble pas ? »

- ● **Question et réponse**

Il faut mettre en parallèle la fin de cette seconde entrevue
d'Électre et d'Oreste et la fin de la première (acte I, scène 4, p. 33).
Oreste pose ici la question que posait Électre : que ferait le frère
vengeur s'il avait connu le bonheur ? Mais alors qu'il réservait sa
réponse, Électre donne la sienne sans hésiter.

cul : tu es le petit-fils d'Atrée, tu n'échapperas pas au des-
85 tin des Atrides. Tu as préféré la honte au crime, libre à
toi. Mais le destin viendra te chercher dans ton lit : tu
auras la honte d'abord, et puis tu commettras le crime, en
dépit de toi-même! »

ORESTE. — Électre, je suis Oreste.

[*L'étonnement d'Électre ne va pas sans quelque déception :
« Je me sentais moins seule quand je ne te connaissais pas
encore : j'attendais l'autre. Je ne pensais qu'à sa force et
jamais à ma faiblesse. » Oreste lui propose encore une fois
de fuir : elle refuse. Bien plus, elle refuse de voir en lui un
Atride. Il n'est qu'une « belle âme », qui n'a pas, comme
elle, « passé [s]a vie à l'ombre d'un meurtre ». Ce reproche
va droit au cœur d'Oreste qui, précisément, voudrait cesser
d'être un fantôme, connaître enfin « les denses passions des
vivants », « être un homme de quelque part, un homme parmi
les hommes ». Sa décision est prise : il restera. Survient
Jupiter qui le regarde en se frottant les mains.*]

90 ORESTE, *relevant la tête.* — Si du moins j'y voyais clair!
Ah! Zeus, Zeus, roi du ciel, je me suis rarement tourné vers
toi, et tu ne m'as guère été favorable, mais tu m'es témoin
que je n'ai jamais voulu que le Bien. A présent je suis las,
je ne distingue plus le Bien du Mal et j'ai besoin qu'on me
95 trace ma route. Zeus, faut-il vraiment qu'un fils de roi,
chassé de sa ville natale, se résigne saintement à l'exil
et vide les lieux la tête basse, comme un chien couchant? Est-ce là ta volonté? Je ne puis le croire. Et
cependant... cependant tu as défendu de verser le sang [1]...
100 Ah! qui parle de verser le sang, je ne sais plus ce que je
dis... Zeus, je t'implore : si la résignation et l'abjecte
humilité sont les lois que tu m'imposes, manifeste-moi
ta volonté par quelque signe, car je ne vois plus clair du
tout.

105 JUPITER, *pour lui-même.* — Mais comment donc : à
ton service! Abraxas, abraxas, tsé-tsé!

La lumière fuse autour de la pierre.

---

1. Ni Zeus ni Jupiter n'ont jamais promulgué pareil commandement. En revanche, il figure dans le Décalogue. C'est le sixième commandement : « Tu ne tueras point » (*Exode*, XX, 13).

ÉLECTRE *se met à rire.* — Ha! ha! Il pleut des miracles aujourd'hui! Vois, pieux Philèbe, vois ce qu'on gagne à consulter les Dieux! *(Elle est prise d'un fou rire.)* Le bon
110 jeune homme... le pieux Philèbe : « Fais-moi signe, Zeus, fais-moi signe! » Et voilà la lumière qui fuse autour de la pierre sacrée. Va-t'en! A Corinthe! A Corinthe! Va-t'en!

ORESTE, *regardant la pierre.* — Alors... c'est ça le Bien? *(Un temps, il regarde toujours la pierre.)* Filer doux. Tout
115 doux. Dire toujours « Pardon » et « Merci »... c'est ça? *(Un temps, il regarde toujours la pierre.)* Le Bien. *Leur* Bien...

(Un temps.) Électre!

ÉLECTRE. — Va vite, va vite. Ne déçois pas cette sage
120 nourrice qui se penche sur toi du haut de l'Olympe [1]. *(Elle s'arrête, interdite.)* Qu'as-tu?

ORESTE, *d'une voix changée.* — Il y a un autre chemin.

ÉLECTRE, *effrayée.* — Ne fais pas le méchant, Philèbe. Tu as demandé les ordres des Dieux : eh bien! tu les
125 connais.

ORESTE. — Des ordres?... Ah oui... Tu veux dire : la lumière là, autour de ce gros caillou? Elle n'est pas pour moi, cette lumière; et personne ne peut plus me donner d'ordre à présent.

130 ÉLECTRE. — Tu parles par énigmes.

ORESTE. — Comme tu es loin de moi, tout à coup..., comme tout est changé! Il y avait autour de moi quelque chose de vivant et de chaud. Quelque chose qui vient de mourir. Comme tout est vide... Ah! quel vide immense,
135 à perte de vue... *(Il fait quelques pas.)* La nuit tombe... Tu ne trouves pas qu'il fait froid?... Mais qu'est-ce donc... qu'est-ce donc qui vient de mourir?

ÉLECTRE. — Philèbe...

ORESTE. — Je te dis qu'il y a un autre chemin..., mon
140 chemin. Tu ne le vois pas? Il part d'ici et il descend vers la ville. Il faut descendre, comprends-tu, descendre jusqu'à vous, vous êtes au fond d'un trou, tout au fond... *(Il*

---

1. La divinité qui vient de manifester sa sollicitude de façon aussi éclatante.

● **Zeus et Jupiter**

Oreste invoque *Zeus* (l. 91) ; c'est *Jupiter* qui se hâte de répondre (l. 105). « Zeus, c'est le symbole du Bien, le principe moral
absolu. Jupiter, c'est le patron de tous les Égisthes : c'est la
contrainte exercée au nom du Bien, la religion du repentir, l'Église
temporelle et ses "mômeries", l'ordre de la Nature comme justification de cet "Ordre moral" dont se réclame toute tyrannie.
Reste le Bien lui-même dissimule et favorise, sous la fausse
universalité d'une morale abstraite, le conformisme social et la
résignation à l'ordre établi; si Jupiter est le bras séculier, c'est
la pure loi de Zeus qui lui fournit les textes...» (Francis Jeanson,
op. cit,. p. 11).

L'erreur de Jupiter est d'avoir répondu trop vite et d'un signe
trop clair. Il a « gaffé », comme l'écrit Francis Jeanson. Mais
Oreste, lui, a pris le temps de réfléchir. Bernard Guyon (*art. cit.*,
p. 49) commente ainsi ce passage :

« Jupiter accomplit aussitôt [l]e signe [réclamé par Oreste].
Électre, plus avancée que son frère dans la voie de l'affranchisse-
ment intellectuel, répond par des sarcasmes. Oreste, lui, reste
interdit. Il regarde la pierre en silence; il médite; un grand travail
s'accomplit en lui : dégoût, révolte, engagement décisif dans une
voie nouvelle : *"Alors, c'est ça le bien... filer doux, tout doux... dire
toujours pardon et merci, c'est ça le bien, leur bien ... Électre !"* Et
comme, interdite, elle lui répond *"Qu'as-tu?"* il lui dit " *d'une
voix changée"* : "*Il y a un autre chemin*". Aussitôt, la vision que ce
jeune homme avait du monde se transforme; par cette découverte seule qu'il vient de faire, il entre dans la voie de la solitude
et de l'angoisse. »

● **Les deux chemins**

Jupiter et le Pédagogue invitaient Oreste à emprunter le chemin
du bonheur, donc à se détourner d'Argos. De même l'Oreste de
Giraudoux, un moment séduit par les paroles des Euménides :
« Pourquoi ne pas prendre la première route, et aller au hasard?
[...] Je suis dans un de ces moments où je vois si nette la piste de
ce gibier qui s'appelle le bonheur » (acte II, sc. 3). L'*autre chemin*
— c'est encore l'Oreste de Giraudoux qui parle —, c'est « de
vouloir retrouver sa propre trace » (*ibid.*). C'est celui que vient
de découvrir l'Oreste de Sartre, au moment même où Jupiter lui
éclairait l'autre. C'est le chemin de l'engagement auquel il aspirait
dès la scène 2 de l'acte I, dans le dialogue avec le Pédagogue
(l. 14 et suiv.). : « Il y a des hommes qui naissent engagés : ils
n'ont pas le choix, on les a jetés sur un chemin, au bout du chemin,
il y a un acte qui les attend, *leur* acte; ils vont, et leurs pieds nus
pressent fortement la terre et s'écorchent aux cailloux. »

s'avance vers Électre.) Tu es *ma* sœur, Électre, et cette
ville est *ma* ville. *Ma* sœur!

Il lui prend le bras.

145   ÉLECTRE. — Laisse-moi! Tu me fais mal, tu me fais
peur — et je ne t'appartiens pas.

ORESTE. — Je sais. Pas encore : je suis trop léger. Il faut
que je me leste d'un forfait bien lourd qui me fasse couler
à pic, jusqu'au fond d'Argos.

150   ÉLECTRE. — Que vas-tu entreprendre?

ORESTE. — Attends. Laisse-moi dire adieu à cette légèreté
sans tache qui fut la mienne. Laisse-moi dire adieu à ma
jeunesse. Il y a des soirs, des soirs de Corinthe ou d'Athènes, pleins de chants et d'odeurs, qui ne m'appartien-
155   dront plus jamais. Des matins, pleins d'espoir aussi...
Allons, adieu! adieu! *(Il vient vers Électre.)* Viens,
Électre, regarde notre ville. Elle est là, rouge sous le
soleil, bourdonnante d'hommes et de mouches, dans
l'engourdissement têtu d'un après-midi d'été; elle me
160   repousse de tous ses murs, de tous ses toits, de toutes ses
portes closes. Et pourtant elle est à prendre, je le sens
depuis ce matin. Et toi aussi, Électre, tu es à prendre. Je
vous prendrai. Je deviendrai hache et je fendrai en deux
ces murailles obstinées, j'ouvrirai le ventre de ces maisons
165   bigotes, elles exhaleront par leurs plaies béantes une odeur
de mangeaille et d'encens; je deviendrai cognée et je
m'enfoncerai dans le cœur de cette ville comme la cognée
dans le cœur d'un chêne.

● **La « conversion » d'Oreste**

   Bernard Guyon juge « capitale » cette quatrième scène du
   deuxième acte (premier tableau) : « Elle nous fait assister, chez
   Oreste, à une véritable conversion spirituelle. Il est, devant
   nous, *un homme qui découvre la liberté* et ses conséquences.
   Lorsque la scène s'engage, il vient d'assister, épouvanté, à ce qui
   se passe à Argos; il n'a qu'une idée : sauver sa sœur de cet enfer,
   s'enfuir avec elle vers les pays du bonheur. Lorsqu'elle s'achève,
   Oreste a décidé de rester pour accomplir avec Électre son double
   meurtre. [...] Oreste est un homme qui aspire à devenir enfin un
   vivant, à quelque prix que ce soit. Et c'est pourquoi il décide de
   rester. » *(art. cit., pp. 48-49).*

ÉLECTRE. — Comme tu as changé : tes yeux ne brillent
170 plus, ils sont ternes et sombres. Hélas! tu étais si doux,
Philèbe. Et voilà que tu me parles comme l'autre[1] me
parlait en songe.

ORESTE. — Écoute : tous ces gens qui tremblent dans
des chambres sombres, entourés de leurs chers défunts,
175 suppose que j'assume tous leurs crimes. Suppose que
je veuille mériter le nom de « voleur de remords » et
que j'installe en moi tous leurs repentirs : ceux de la
femme qui trompa son mari, ceux du marchand qui
laissa mourir sa mère, ceux de l'usurier qui tondit jusqu'à
180 la mort ses débiteurs[2]?

Dis, ce jour-là, quand je serai hanté par des remords
plus nombreux que les mouches d'Argos, par tous les
remords de la ville, est-ce que je n'aurai pas acquis droit de
cité parmi vous? Est-ce que je ne serai pas chez moi, entre
185 vos murailles sanglantes, comme le boucher en tablier
rouge est chez lui dans sa boutique, entre les bœufs sai-
gnants qu'il vient d'écorcher?

ÉLECTRE. — Tu veux expier pour nous?

ORESTE. — Expier? J'ai dit que j'installerai en moi vos
190 repentirs, mais je n'ai pas dit ce que je ferai de ces volailles
criardes : peut-être leur tordrai-je le cou.

ÉLECTRE. — Et comment pourrais-tu te charger de nos
maux?

ORESTE. — Vous ne demandez qu'à vous en défaire. Le
195 roi et la reine seuls les maintiennent de force en vos cœurs.

ÉLECTRE. — Le roi et la reine... Philèbe!

ORESTE. — Les Dieux me sont témoins que je ne voulais
pas verser leur sang.

Un long silence.

ÉLECTRE. — Tu es trop jeune, trop faible...
200 ORESTE. — Vas-tu reculer, à présent? Cache-moi dans le
palais, conduis-moi ce soir jusqu'à la couche royale, et tu
verras si je suis trop faible.

ÉLECTRE. — Oreste!

---

1. Oreste.
2. Les *repentirs* d'Aricie, de Nicias et de Ségeste : voir p. 45, l. 49 et suiv.

ORESTE. — Électre! Tu m'as appelé Oreste pour la pre-
²⁰⁵ mière fois.

ÉLECTRE. — Oui. C'est bien toi. Tu es Oreste. Je ne te
reconnais pas, car ce n'est pas ainsi que je t'attendais.
Mais ce goût amer dans ma bouche, ce goût de fièvre, mille
fois je l'ai senti dans mes songes et je le reconnais. Tu
²¹⁰ es donc venu, Oreste, et ta décision est prise, et me voilà,
comme dans mes songes, au seuil d'un acte irréparable,
et j'ai peur — comme en songe. Ô moment tant attendu et

- **Le projet d'Oreste**

Il n'est ni dicté par l'oracle, ni suggéré par le précepteur, ni
lentement élaboré par le héros lui-même. Mais son acte futur a
fondu sur lui. Spontané, ce projet n'en est pas moins complexe :
a) Oreste veut jouer le rôle de bouc émissaire, en se chargeant de
tous les remords des Argiens.
b) Il ne peut jouer ce rôle qu'en tuant le roi et la reine
— parce que c'est le couple royal qui contraint les Argiens au
remords;
— parce que ce double assassinat pèsera sur ses épaules, se
substituant en quelque sorte au meurtre ancien, celui d'Agamemnon.
c) Oreste n'envisage nullement son avenir comme un martyre
perpétuel. Il entend se charger des remords des Argiens pour
mieux leur tordre le cou.

- **Électre et le songe**

Électre a jusqu'ici rêvé de vengeance. La réalité nouvelle ne fait
guère que continuer ce songe. Le mot revient trois fois en quatre
lignes (l. 209, 211, 212). C'est l'un des signes de la faiblesse d'un
personnage apparemment fort. Cette faiblesse apparaîtra clairement au moment du double meurtre (voir plus loin les scènes 6
et 7). Et Jupiter l'éclairera d'un jour sans pitié à l'acte III, sc. 2 :
« JUPITER. — [...] Elle n'a jamais voulu cet acte sacrilège.
ÉLECTRE. — Hélas!
JUPITER. — Allons! Tu peux me faire confiance. Est-ce que je ne
lis pas dans les cœurs?
ÉLECTRE, *incrédule*. — Et tu lis dans le mien que je n'ai pas voulu
ce crime? Quand j'ai rêvé quinze ans de meurtre et de vengeance?
JUPITER. — Bah! Ces rêves sanglants qui te berçaient, ils
avaient une espèce d'innocence : ils te masquaient ton esclavage,
ils pansaient les blessures de ton orgueil. Mais tu n'as jamais songé
à les réaliser. »

tant redouté! A présent, les instants vont s'enchaîner
comme les rouages d'une mécanique[1], et nous n'aurons
215 plus de répit jusqu'à ce qu'ils soient couchés tous les deux
sur le dos, avec des visages pareils aux mûres écrasées[2].
Tout ce sang! Et c'est toi qui vas le verser, toi qui avais
des yeux si doux. Hélas! jamais je ne reverrai cette douceur,
jamais plus je ne reverrai Philèbe. Oreste, tu es mon frère
220 aîné et le chef de notre famille, prends-moi dans tes bras,
protège-moi, car nous allons au-devant de très grandes
souffrances.

Oreste la prend dans ses bras. Jupiter sort
de sa cachette et s'en va à pas de loup.

RIDEAU

PH. © BERNAND

Théâtre du Vieux-Colombier, 1951
Michel Herbault *(Oreste)*, Olga Dominique *(Électre)*

---

1. La *mécanique* tragique. *Cf.* Jean Cocteau, *la Machine infernale*.
2. Toujours le motif obsédant de la face écrasée. Voir acte I, sc. 4, l. 10 et la note 2,
p. 33.

DEUXIÈME TABLEAU

Dans le palais. La salle du trône. Une statue de Jupiter, terrible et sanglante. Le jour tombe.

SCÈNE PREMIÈRE

[*Électre entre, accompagnée d'Oreste. Craignant d'être vus par les soldats qui font leur ronde, ils se cachent derrière le trône*].

SCÈNE 2

[*Deux soldats surviennent en effet. Ils s'étonnent du soudain affolement des mouches. Le plancher craque : Agamemnon, sans doute, a voulu retrouver son trône, pour vingt-quatre heures.*]

SCÈNE 3

[*Entrée de Clytemnestre et d'Égisthe, qui ordonne aux soldats et aux serviteurs de s'éloigner. Le couple royal commente les événements du jour. Égisthe avoue qu'il est las d'avoir joué, pendant quinze ans, cette lugubre comédie imposée par les fables qu'il a inventées pour le peuple. Il demande à Clytemnestre de le laisser seul. Elle se retire.*]

SCÈNE 4

ÉGISTHE, ORESTE et ÉLECTRE (cachés)

ÉGISTHE. — Est-ce là, Jupiter, le roi dont tu avais besoin pour Argos? Je vais, je viens, je sais crier d'une voix forte, je promène partout ma grande apparence terrible, et ceux qui m'aperçoivent se sentent coupables jusqu'aux
⁵ moelles. Mais je suis une coque vide : une bête m'a mangé le dedans sans que je m'en aperçoive. A présent je regarde en moi-même, et je vois que je suis plus mort qu'Agamemnon. Ai-je dit que j'étais triste? J'ai menti. Il n'est ni triste ni gai, le désert, l'innombrable néant
¹⁰ des sables sous le néant lucide du ciel : il est sinistre. Ah! je donnerais mon royaume pour verser une larme!

Entre Jupiter.

● **Égisthe et l'expérience du creux**

En se définissant comme *une coque vide* (l. 5), Égisthe illustre une expérience sartrienne cruciale, qu'il convient de rapprocher de la description du « pour-soi » dans *l'Être et le Néant*. Claude-Edmonde Magny résume ainsi (*Littérature et critique*, p. 84) ce qu'elle considère comme une manière de « révolution copernicienne » dans le système de Sartre :

« [elle] consiste à avoir identifié conscience et pouvoir de néantisation; à faire de la réalité humaine la source du néant dans le monde, ce par quoi le néant vient à l'être, la seule réalité même par quoi il puisse lui venir. En général, dans la tradition philosophique antérieure, la conscience était pesée comme étant "du côté de l'être"; d'instinct, l'homme se solidarisait avec la plénitude, croyait être de son parti, participer à elle et non pas au néant; sans doute parce que spontanément il projetait en réalité ontologique la conscience psychologiquement thétique qu'il avait de sa propre existence. Pour Sartre, au contraire, la dignité de l'homme n'est pas celle du "roseau pensant" qui s'affirme orgueilleusement en face du reste de l'univers et s'imagine exister de façon péremptoire : son essence est celle d'un être creux, qui glisse perpétuellement entre ses propres doigts, et se distingue des autres êtres uniquement en ce qu'il fuit, comme un pot fêlé. »

SCÈNE 5

LES MÊMES, JUPITER

JUPITER. — Plains-toi : tu es un roi semblable à tous les rois.

ÉGISTHE. — Qui es-tu? Que viens-tu faire ici?

JUPITER. — Tu ne me reconnais pas?

⁵ ÉGISTHE. — Sors d'ici, ou je te fais rosser par mes gardes.

JUPITER. — Tu ne me reconnais pas? Tu m'as vu pourtant. C'était en songe. Il est vrai que j'avais l'air plus terrible. *(Tonnerre, éclairs, Jupiter prend l'air terrible.)* Et comme ça?

¹⁰ ÉGISTHE. — Jupiter!

JUPITER. — Nous y voilà. *(Il redevient souriant, s'approche de la statue.)* C'est moi, ça? C'est ainsi qu'ils me voient quand ils prient, les habitants d'Argos? Parbleu, il est rare qu'un Dieu puisse contempler son image face à ¹⁵ face. *(Un temps.)* Que je suis laid! Ils ne doivent pas m'aimer beaucoup.

ÉGISTHE. — Ils vous craignent.

JUPITER. — Parfait! Je n'ai que faire d'être aimé. Tu m'aimes, toi?

²⁰ ÉGISTHE. — Que me voulez-vous! N'ai-je pas assez payé?

JUPITER. — Jamais assez!

ÉGISTHE. — Je crève à la tâche.

JUPITER. — N'exagère pas! Tu te portes assez bien et tu es gras. Je ne te le reproche pas, d'ailleurs. C'est de la ²⁵ bonne graisse royale, jaune comme le suif d'une chandelle, il en faut. Tu es taillé pour vivre encore vingt ans.

ÉGISTHE. — Encore vingt ans!

JUPITER. — Souhaites-tu mourir?

ÉGISTHE. — Oui.

³⁰ JUPITER. — Si quelqu'un entrait ici avec une épée nue, tendrais-tu ta poitrine à cette épée?

ÉGISTHE. — Je ne sais pas.

JUPITER. — Écoute-moi bien; si tu te laisses égorger comme un veau, tu seras puni de façon exemplaire; tu
[35] resteras roi dans le Tartare [1] pour l'éternité. Voilà ce que je suis venu te dire.

ÉGISTHE. — Quelqu'un cherche à me tuer?

JUPITER. — Il paraît.

ÉGISTHE. — Électre?

[40] JUPITER. — Un autre aussi.

ÉGISTHE. — Qui?

JUPITER. — Oreste.

ÉGISTHE. — Ah! *(Un temps.)* Eh bien, c'est dans l'ordre, qu'y puis-je?

[45] JUPITER. — « Qu'y puis-je? » *(Changeant de ton.)* Ordonne sur l'heure qu'on se saisisse d'un jeune étranger qui se fait appeler Philèbe. Qu'on le jette avec Électre dans quelque basse-fosse — et je te permets de les y oublier. Eh! Qu'attends-tu? Appelle tes gardes.

[50] ÉGISTHE. — Non.

JUPITER. — Me feras-tu la faveur de me dire les raisons de ton refus?

ÉGISTHE. — Je suis las.

JUPITER. — Pourquoi regardes-tu tes pieds? Tourne
[55] vers moi tes gros yeux striés de sang. Là, là! Tu es noble et bête comme un cheval. Mais ta résistance n'est pas de celles qui m'irritent : c'est le piment qui rendra, tout à l'heure, plus délicieuse encore ta soumission. Car je sais que tu finiras par céder.

[60] ÉGISTHE. — Je vous dis que je ne veux pas entrer dans vos desseins. J'en ai trop fait.

JUPITER. — Courage! Résiste! Résiste! Ah! que je suis friand d'âmes comme la tienne. Tes yeux lancent des éclairs, tu serres les poings et tu jettes ton refus à la face de
[65] Jupiter. Mais cependant, petite tête, petit cheval, mauvais petit cheval, il y a beau temps que ton cœur m'a dit oui. Allons, tu obéiras. Crois-tu que je quitte l'Olympe sans motif? J'ai voulu t'avertir de ce crime, parce qu'il me plaît de l'empêcher.

---

1. *Le Tartare :* bas-fond des Enfers où Zeus précipitait ceux qui l'avaient offensé.

70   ÉGISTHE. — M'avertir!... C'est bien étrange.

JUPITER. — Quoi de plus naturel au contraire : je veux détourner ce danger de ta tête.

ÉGISTHE. — Qui vous le demandait? Et Agamemnon, l'avez-vous averti, lui? Pourtant il voulait vivre.

75   JUPITER. — Ô nature ingrate, ô malheureux caractère : tu m'es plus cher qu'Agamemnon, je te le prouve et tu te plains.

ÉGISTHE. — Plus cher qu'Agamemnon? Moi? C'est Oreste qui vous est cher. Vous avez toléré que je me perde, 80 vous m'avez laissé courir tout droit vers la baignoire du roi, la hache à la main — et sans doute vous léchiez-vous les lèvres, là-haut, en pensant que l'âme du pêcheur est délectable. Mais aujourd'hui vous protégez Oreste contre lui-même — et moi, que vous avez poussé à tuer 85 le père, vous m'avez choisi pour retenir le bras du fils. J'étais tout juste bon à faire un assassin. Mais lui, pardon, on a d'autres vues sur lui, sans doute.

JUPITER. — Quelle étrange jalousie! Rassure-toi : je ne l'aime pas plus que toi. Je n'aime personne.

90   ÉGISTHE. — Alors, voyez ce que vous avez fait de moi, Dieu injuste. Et répondez : si vous empêchez aujourd'hui le crime que médite Oreste, pourquoi donc avoir permis le mien?

JUPITER. — Tous les crimes ne me déplaisent pas éga- 95 lement. Égisthe, nous sommes entre rois, et je te parlerai franchement : le premier crime, c'est moi qui l'ai commis en créant les hommes mortels. Après cela, que pouviez- vous faire, vous autres, les assassins? Donner la mort à vos victimes? Allons donc; elles la portaient déjà en elles; 100 tout au plus hâtiez-vous un peu son épanouissement. Sais- tu ce qui serait advenu d'Agamemnon, si tu ne l'avais pas occis? Trois mois plus tard il mourait d'apoplexie sur le sein d'une belle esclave. Mais ton crime me servait.

● **L'autocritique généralisée**

Les Argiens et leur roi ne sont pas seuls à s'accuser. Jupiter lui-même se reconnaît des fautes. Il s'attribue même la faute originelle (l. 96) : *Le premier crime, c'est moi qui l'ai commis en créant les hommes mortels.*

ÉGISTHE. — Il vous servait? Je l'expie depuis quinze ans
105 et il vous servait? Malheur!

JUPITER. — Eh bien quoi? C'est parce que tu l'expies
qu'il me sert; j'aime les crimes qui paient. J'ai aimé le
tien parce que c'était un meurtre aveugle et sourd, ignorant de lui-même, antique, plus semblable à un cataclysme
110 qu'à une entreprise humaine. Pas un instant tu ne m'as
bravé : tu as frappé dans les transports de la rage et de la
peur; et puis, la fièvre tombée, tu as considéré ton acte
avec horreur et tu n'as pas voulu le reconnaître. Quel profit
j'en ai tiré cependant! Pour un homme mort, vingt mille
115 autres plongés dans la repentance, voilà le bilan. Je n'ai
pas fait un mauvais marché.

ÉGISTHE. — Je vois ce que cachent tous ces discours :
Oreste n'aura pas de remords.

JUPITER. — Pas l'ombre d'un. A cette heure il tire ses
120 plans avec méthode, la tête froide, modestement. Qu'ai-je
à faire d'un meurtre sans remords, d'un meurtre insolent,
d'un meurtre paisible, léger comme une vapeur dans
l'âme du meurtrier? J'empêcherai cela! Ah! je hais les
crimes de la génération nouvelle : ils sont ingrats et
125 stériles comme l'ivraie. Il te tuera comme un poulet, le
doux jeune homme, et s'en ira, les mains rouges et la
conscience pure; j'en serais humilié, à ta place. Allons!
appelle tes gardes.

ÉGISTHE. — Je vous ai dit que non. Le crime qui se pré-
130 pare vous déplaît trop pour ne pas me plaire.

JUPITER, *changeant de ton.* — Égisthe, tu es roi, et c'est
à ta conscience de roi que je m'adresse; car tu aimes
régner.

ÉGISTHE. — Eh bien?

135 JUPITER. — Tu me hais, mais nous sommes parents;
je t'ai fait à mon image : un roi, c'est un Dieu sur la terre,
noble et sinistre comme un Dieu.

ÉGISTHE. — Sinistre? Vous?

JUPITER. — Regarde-moi. *(Un long silence.)* Je t'ai dit
140 que tu es fait à mon image. Nous faisons tous les deux
régner l'ordre, toi dans Argos, moi dans le monde; et le
même secret pèse lourdement dans nos cœurs.

ÉGISTHE. — Je n'ai pas de secret.

JUPITER. — Si. Le même que moi. Le secret douloureux [1]
145 des Dieux et des rois : c'est que les hommes sont libres.
Ils sont libres, Égisthe. Tu le sais, et ils ne le savent pas.

ÉGISTHE. — Parbleu, s'ils le savaient, ils mettraient le feu
aux quatre coins de mon palais. Voilà quinze ans que je
joue la comédie pour leur masquer leur pouvoir.

150 JUPITER. — Tu vois bien que nous sommes pareils.

ÉGISTHE. — Pareils? Par quelle ironie un Dieu se dirait-il
mon pareil? Depuis que je règne, tous mes actes et toutes
mes paroles visent à composer mon image; je veux que
chacun de mes sujets la porte en lui et qu'il sente, jusque
155 dans la solitude, mon regard sévère peser sur ses pensées
les plus secrètes. Mais c'est moi qui suis ma première
victime : je ne me vois plus que comme ils me voient, je
me penche sur le puits béant de leurs âmes, et mon image
est là, tout au fond, elle me répugne et me fascine. Dieu
160 tout-puissant, qui suis-je, sinon la peur que les autres ont
de moi?

JUPITER. — Qui donc crois-tu que je sois? *(Désignant la
statue.)* Moi aussi, j'ai mon image. Crois-tu qu'elle ne me
donne pas le vertige? Depuis cent mille ans je danse devant
165 les hommes. Une lente et sombre danse. Il faut qu'ils me
regardent : tant qu'ils ont les yeux fixés sur moi, ils
oublient de regarder en eux-mêmes. Si je m'oubliais un
seul instant, si je laissais leur regard se détourner...

ÉGISTHE. — Eh bien?

---

1. Voir acte I, sc. 1, l. 223 : « Ah! ne jugez pas les Dieux, jeune homme, ils ont des secrets
douloureux », disait Jupiter à Oreste.

● **La danse de Jupiter** (l. 164 et suiv.)

    Après la danse d'Électre (acte II, premier tableau, sc. 3, p. 48 et
suiv.), voici, simplement évoquée cette fois, la danse de Jupiter.
Effet de symétrie et de contraste à la fois. La danse d'Électre était
une danse de la libération anticipée et d'une liberté illusoire. La
danse de Jupiter est danse du rapt de la liberté des hommes :
en les fascinant, en les détournant d'eux-mêmes, le dieu empêche ses créatures de prendre conscience de leur liberté.

[170]   JUPITER. — Laisse. Ceci ne concerne que moi. Tu es las, Égisthe, mais de quoi te plains-tu? Tu mourras. Moi, non. Tant qu'il y aura des hommes sur cette terre, je serai condamné à danser devant eux.

ÉGISTHE. — Hélas! Mais qui nous a condamnés?

[175]   JUPITER. — Personne que nous-mêmes; car nous avons la même passion. Tu aimes l'ordre [1], Égisthe.

ÉGISTHE. — L'ordre. C'est vrai. C'est pour l'ordre que j'ai séduit Clytemnestre, pour l'ordre que j'ai tué mon roi; je voulais que l'ordre règne et qu'il règne par moi. J'ai [180] vécu sans désir, sans amour, sans espoir : j'ai fait de l'ordre. Ô terrible et divine passion!

JUPITER. — Nous ne pourrions en avoir d'autre : je suis Dieu, et tu es né pour être roi.

ÉGISTHE. — Hélas!

[185]   JUPITER. — Égisthe, ma créature et mon frère mortel, au nom de cet ordre que nous servons tous deux, je te le commande : empare-toi d'Oreste et de sa sœur.

---

1. Sur ce thème de l'ordre, voir le commentaire de la p. 22.

● « Le secret douloureux des Dieux » (l. 144 et 197)

Bernard Guyon (*art. cit.*, p. 52) voit dans ce passage l'expression de l'une des deux formes de l'opposition au divin dans la pièce, la forme « métaphysique » :
« Elle consiste en un mot [...] à nous révéler ce que Jupiter, dans sa conversation avec Égisthe, appelle *"le secret douloureux des dieux"*. Ce secret, c'est précisément que les hommes sont libres. Mais il se double d'un second secret plus grave encore, c'est que certains hommes *savent qu'ils sont libres* et ceux-là, s'ils ont le courage d'aller jusqu'au bout, sont plus forts que les dieux. [...] Oreste est un de ces hommes-là. Cela lui donne une grandeur surhumaine. Cela donne une intensité dramatique incomparable à l'une des dernières scènes du drame, celle où Jupiter, après avoir vaincu la résistance d'Électre, s'étant tourné vers Oreste, se heurte cette fois à une résistance irréductible » (voir acte III, scène 2, p. 87).
Mais ce *secret*, n'est-il pas tout aussi bien celui du Dieu des chrétiens, du Dieu de Péguy, par exemple, dans le *Porche du mystère de la deuxième vertu?* « Mon Fils le leur a assez dit. Je me suis lié les bras pour éternellement... »

ÉGISTHE. — Sont-ils si dangereux?

JUPITER. — Oreste sait qu'il est libre.

190   ÉGISTHE, *vivement*. — Il sait qu'il est libre. Alors ce n'est pas assez que de le jeter dans les fers. Un homme libre dans une ville, c'est comme une brebis galeuse dans un troupeau. Il va contaminer tout mon royaume et ruiner mon œuvre. Dieu tout-puissant, qu'attends-tu pour le foudroyer?

195

JUPITER, *lentement*. — Pour le foudroyer? *(Un temps. Las et voûté.)* Égisthe, les Dieux ont un autre secret...

ÉGISTHE. — Que vas-tu me dire?

JUPITER. — Quand une fois la liberté a explosé dans une
200   âme d'homme, les Dieux ne peuvent plus rien contre cet homme-là. Car c'est une affaire d'hommes, et c'est aux autres hommes — à eux seuls — qu'il appartient de le laisser courir ou de l'étrangler.

ÉGISTHE, *le regardant*. — De l'étrangler?... C'est bien.
205   Je t'obéirai sans doute. Mais n'ajoute rien et ne demeure pas ici plus longtemps, car je ne pourrai le supporter.

Jupiter sort.

● **La révolte d'Égisthe**

A la fin de la scène 5, ce n'est plus Jupiter qui donne des ordres à Égisthe; c'est l'inverse : *N'ajoute rien et ne demeure pas ici plus longtemps, car je ne pourrai le supporter.*
Dans ces conditions, le roi peut-il obéir au dieu? Malgré une concession vague, et illusoire (*Je t'obéirai sans doute*, l. 205), il est, pouvons-nous penser, tenté de n'en rien faire. D'autant que Jupiter vient, fort imprudemment, de lui révéler le secret des dieux, qui est aussi le secret des hommes. En se laissant tuer par Oreste, en se laissant prendre comme un rat, Égisthe va curieusement exercer sa liberté, — pour la première et pour la dernière fois...

Oreste. — « Zeus, je t'implore...
Jupiter. — Mais comment donc : à ton service !
Abraxas, abraxas, tsé-tsé ! »

(II, I, 4, l. 101 et suiv.)

SCÈNE 6

ÉGISTHE reste seul un moment, puis ÉLECTRE
et ORESTE

ÉLECTRE, *bondissant vers la porte.* — Frappe-le! Ne lui laisse pas le temps de crier; je barricade la porte.

ÉGISTHE. — C'est donc toi, Oreste?

ORESTE. — Défends-toi!

⁵ ÉGISTHE. — Je ne me défendrai pas. Il est trop tard pour que j'appelle et je suis heureux qu'il soit trop tard. Mais je ne me défendrai pas : je veux que tu m'assassines.

ORESTE. — C'est bon. Le moyen m'importe peu. Je serai donc assassin.

Il le frappe de son épée.

¹⁰ ÉGISTHE, *chancelant.* — Tu n'as pas manqué ton coup. *(Il se raccroche à Oreste.)* Laisse-moi te regarder. Est-ce vrai que tu n'as pas de remords?

ORESTE. — Des remords? Pourquoi? Je fais ce qui est juste.

¹⁵ ÉGISTHE. — Ce qui est juste, c'est ce que veut Jupiter. Tu étais caché ici et tu l'as entendu.

ORESTE. — Que m'importe Jupiter? La justice est une affaire d'hommes, et je n'ai pas besoin d'un Dieu pour me l'enseigner. Il est juste de t'écraser, immonde coquin, et ²⁰ de ruiner ton empire sur les gens d'Argos, il est juste de leur rendre le sentiment de leur dignité.

Il le repousse.

ÉGISTHE. — J'ai mal.

ÉLECTRE. — Il chancelle et son visage est blafard. Horreur! comme c'est laid, un homme qui meurt.

²⁵ ORESTE. — Tais-toi. Qu'il n'emporte pas d'autre souvenir dans la tombe que celui de notre joie.

ÉGISTHE. — Soyez maudits tous deux.

ORESTE. — Tu n'en finiras donc pas, de mourir?

Il le frappe. Égisthe tombe.

ÉGISTHE. — Prends garde aux mouches, Oreste, prends
[30] garde aux mouches. Tout n'est pas fini.

Il meurt.

ORESTE, *le poussant du pied.* — Pour lui, tout est fini en
tout cas. Guide-moi jusqu'à la chambre de la reine.

ÉLECTRE. — Oreste...

ORESTE. — Eh bien?...

[35] ÉLECTRE. — Elle ne peut plus nous nuire [1]...

ORESTE. — Et alors?... Je ne te reconnais pas. Tu ne
parlais pas ainsi, tout à l'heure.

ÉLECTRE. — Oreste... je ne te reconnais pas non plus.

ORESTE. — C'est bon; j'irai seul.

Il sort.

SCÈNE 7

ÉLECTRE seule

ÉLECTRE. — Est-ce qu'elle va crier? *(Un temps. Elle
prête l'oreille.)* Il marche dans le couloir. Quand il aura
ouvert la quatrième porte... Ah! je l'ai voulu! Je le veux,
il *faut* que je le veuille encore. *(Elle regarde Égisthe.)*
[5] Celui-ci est mort. C'est donc *ça* que je voulais. Je ne m'en
rendais pas compte. *(Elle s'approche de lui.)* Cent fois je
l'ai vu en songe, étendu à cette même place, une épée dans
le cœur. Ses yeux étaient clos, il avait l'air de dormir.
Comme je le haïssais, comme j'étais joyeuse de le haïr.
[10] Il n'a pas l'air de dormir, et ses yeux sont ouverts, il me
regarde. Il est mort — et ma haine est morte avec lui. Et
je suis là; et j'attends, et l'autre est vivante encore, au fond
de sa chambre, et tout à l'heure elle va crier. Elle va crier
comme une bête. Ah! je ne peux plus supporter ce regard.
[15] *(Elle s'agenouille et jette un manteau sur le visage d'Égisthe.)*
Qu'est-ce que je voulais donc? *(Silence. Puis cris de Clytemnestre.)* Il l'a frappée. C'était notre mère, et il l'a frappée. *(Elle se relève.)* Voici : mes ennemis sont morts. Pen-

---

1. Aucune des Électres antiques n'avait ce mouvement de pitié.

dant des années, j'ai joui de cette mort par avance, et, à
20 présent, mon cœur est serré dans un étau. Est-ce que je me
suis menti pendant quinze ans? Ça n'est pas vrai! Ça n'est
pas vrai! Ça ne peut pas être vrai : je ne suis pas lâche!
Cette minute-ci, je l'ai voulue et je la veux encore. J'ai
voulu voir ce porc immonde couché à mes pieds. *(Elle*
25 *arrache le manteau.)* Que m'importe ton regard de poisson
mort. Je l'ai voulu, ce regard, et j'en jouis. *(Cris plus fai-*
bles de Clytemnestre.) Qu'elle crie! Qu'elle crie! Je veux
ses cris d'horreur et je veux ses souffrances. *(Les cris*
cessent.) Joie! Joie! Je pleure de joie : mes ennemis sont
30 morts et mon père est vengé.

> *Oreste rentre, une épée sanglante à la main.*
> *Elle court à lui.*

SCÈNE 8

ÉLECTRE, ORESTE

ÉLECTRE. — Oreste!

> *Elle se jette dans ses bras.*

ORESTE. — De quoi as-tu peur?

ÉLECTRE. — Je n'ai pas peur, je suis ivre. Ivre de joie.
Qu'a-t-elle dit? A-t-elle longtemps imploré sa grâce?

5   ORESTE. — Électre, je ne me repentirai pas de ce que
j'ai fait, mais je ne juge pas bon d'en parler : il y a des
souvenirs qu'on ne partage pas. Sache seulement qu'elle
est morte.

ÉLECTRE. — En nous maudissant? Dis-moi seulement
10 cela : en nous maudissant?

ORESTE. — Oui. En nous maudissant.

ÉLECTRE. — Prends-moi dans tes bras, mon bien-aimé,
et serre-moi de toutes tes forces. Comme la nuit est épaisse
et comme les lumières de ces flambeaux ont de la peine à la
15 percer! M'aimes-tu?

ORESTE. — Il ne fait pas nuit : c'est le point du jour.
Nous sommes libres, Électre. Il me semble que je t'ai fait
naître et que je viens de naître avec toi; je t'aime et tu
m'appartiens. Hier encore j'étais seul et aujourd'hui tu

²⁰ m'appartiens. Le sang nous unit doublement, car nous sommes de même sang et nous avons versé le sang.

ÉLECTRE. — Jette ton épée. Donne-moi cette main. *(Elle lui prend la main et l'embrasse.)* Tes doigts sont courts et carrés. Ils sont faits pour prendre et pour tenir. Chère
²⁵ main! Elle est plus blanche que la mienne. Comme elle s'est faite lourde pour frapper les assassins de notre père! Attends. *(Elle va chercher un flambeau et elle l'approche d'Oreste.)* Il faut que j'éclaire ton visage, car la nuit s'épaissit et je ne te vois plus bien. J'ai besoin de te voir :
³⁰ quand je ne te vois plus, j'ai peur de toi; il ne faut pas que je te quitte des yeux. Je t'aime. Il faut que je pense que je t'aime. Comme tu as l'air étrange!

ORESTE. — Je suis libre, Électre; la liberté a fondu sur moi comme la foudre.

³⁵ ÉLECTRE. — Libre? Moi, je ne me sens pas libre. Peux-tu faire que tout ceci n'ait pas été? Quelque chose est arrivé que nous ne sommes plus libres de défaire. Peux-tu empêcher que nous soyons pour toujours les assassins de notre mère?

⁴⁰ ORESTE. — Crois-tu que je voudrais l'empêcher? J'ai fait *mon* acte, Électre, et cet acte était bon. Je le porterai sur mes épaules comme un passeur d'eau porte les voyageurs, je le ferai passer sur l'autre rive et j'en rendrai compte. Et plus il sera lourd à porter, plus je me réjouirai,
⁴⁵ car ma liberté, c'est lui. Hier encore, je marchais au hasard sur la terre, et des milliers de chemins fuyaient sous mes pas, car ils appartenaient à d'autres. Je les ai tous empruntés, celui des haleurs, qui court au long de la rivière, et le sentier du muletier et la route pavée des conducteurs de
⁵⁰ chars; mais aucun n'était à moi. Aujourd'hui, il n'y en a plus qu'un, et Dieu sait où il mène : mais c'est *mon* chemin. Qu'as-tu?

ÉLECTRE. — Je ne peux plus te voir! Ces lampes n'éclairent pas. J'entends ta voix, mais elle me fait mal, elle me
⁵⁵ coupe comme un couteau. Est-ce qu'il fera toujours aussi noir, désormais, même le jour? Oreste! Les voilà!

ORESTE. — Qui?

ÉLECTRE. — Les voilà! D'où viennent-elles? Elles pendent du plafond comme des grappes de raisins noirs, et

⁶⁰ ce sont elles qui noircissent les murs; elles se glissent entre les lumières et mes yeux, et ce sont leurs ombres qui me dérobent ton visage.

ORESTE. — Les mouches...

ÉLECTRE. — Écoute!... Écoute le bruit de leurs ailes,
⁶⁵ pareil au ronflement d'une forge. Elles nous entourent, Oreste. Elles nous guettent; tout à l'heure elles s'abattront sur nous, et je sentirai mille pattes gluantes sur mon corps. Où fuir, Oreste? Elles enflent, elles enflent, les voilà grosses comme des abeilles, elles nous suivront par-
⁷⁰ tout en épais tourbillons. Horreur! Je vois leurs yeux, leurs millions d'yeux qui nous regardent.

ORESTE. — Que nous importent les mouches?

ÉLECTRE. — Ce sont les Érinnyes[1], Oreste, les déesses du remords.

⁷⁵ DES VOIX, *derrière la porte.* — Ouvrez! Ouvrez! S'ils n'ouvrent pas, il faut enfoncer la porte.

Coups sourds dans la porte.

ORESTE. — Les cris de Clytemnestre ont attiré des gardes. Viens! Conduis-moi au sanctuaire d'Apollon[2]; nous y passerons la nuit, à l'abri des hommes et des mouches.
⁸⁰ Demain je parlerai à mon peuple.

RIDEAU

1. L'orthographe « Érinyes » serait plus conforme à l'étymologie. Mais nous conservons, dans nos commentaires, l'orthographe choisie par Sartre.
2. *Cf.* p. 54, l. 50-53.

● **Nécessité d'un troisième acte**

Sophocle arrêtait sa pièce immédiatement après l'exécution du double meurtre. Mais, désireux de dessiner l'évolution de son héros et de le mener jusqu'au bout du « chemin de la liberté », Sartre ajoute un troisième acte. En effet, comme le note Bernard Guyon (*op. cit.*, p. 50), « le drame spirituel n'est pas achevé pour autant; l'essentiel, en vérité, reste à dire. Car il faut qu'au-delà de l'angoisse, au-delà de l'acte, Oreste, contrairement à tous les autres, reste fidèle à lui-même. C'est pourquoi Sartre s'est bien gardé d'arrêter son drame, comme l'avait fait Sophocle, à ce moment de l'action et, reprenant le schéma d'Eschyle et d'Euripide, nous a montré le héros en proie aux Érinnyes. Mais c'est pour faire apparaître leur impuissance à faire fléchir son courage ».

Théâtre du Vieux Colombier, 1951.

Première Érinnye, *s'étirant.* — « Haaah! J'ai dormi
debout, toute droite de colère... »
(Acte III, scène 1, début)

ACTE III

SCÈNE PREMIÈRE

Le temple d'Apollon. Pénombre. Une statue d'Apollon au milieu de la scène. Électre et Oreste dorment au pied de la statue, entourant ses jambes de leurs bras. Les Érinnyes, en cercle, les entourent ; elles dorment debout, comme des échassiers. Au fond, une lourde porte de bronze.

PREMIÈRE ÉRINNYE, *s'étirant.* — Haaah! J'ai dormi debout, toute droite de colère, et j'ai fait d'énormes rêves irrités. Ô belle fleur de rage, belle fleur rouge en mon cœur. *(Elle tourne autour d'Oreste et d'Électre.)* Ils dorment.
5 Comme ils sont blancs, comme ils sont doux! Je leur roulerai sur le ventre et sur la poitrine comme un torrent sur des cailloux. Je polirai patiemment cette chair fine, je la frotterai, je la raclerai, je l'userai jusqu'à l'os. *(Elle fait quelques pas.)* Ô pur matin de haine! Quel splendide
10 réveil : ils dorment, ils sont moites, ils sentent la fièvre; moi, je veille, fraîche et dure, mon âme est de cuivre — et je me sens sacrée.

ÉLECTRE, *endormie.* — Hélas!

PREMIÈRE ÉRINNYE. — Elle gémit. Patience, tu connaî-
15 tras bientôt nos morsures, nous te ferons hurler sous nos caresses. J'entrerai en toi comme le mâle en la femelle,

car tu es mon épouse, et tu sentiras le poids de mon amour.
Tu es belle, Électre, plus belle que moi; mais, tu verras,
mes baisers font vieillir; avant six mois, je t'aurai cassée
20 comme une vieillarde, et moi, je resterai jeune. *(Elle se
penche sur eux.)* Ce sont de belles proies périssables et
bonnes à manger; je les regarde, je respire leur haleine
et la colère m'étouffe. Ô délices de se sentir un petit matin
de haine, délices de se sentir griffes et mâchoires, avec
25 du feu dans les veines. La haine m'inonde et me suffoque,
elle monte dans mes seins comme du lait. Réveillez-vous,
mes sœurs, réveillez-vous : voici le matin.

DEUXIÈME ÉRINNYE — Je rêvais que je mordais.

PREMIÈRE ÉRINNYE. — Prends patience : un Dieu [1] les
30 protège aujourd'hui, mais bientôt la soif et la faim les
chasseront de cet asile. Alors, tu les mordras de toutes
tes dents.

TROISIÈME ÉRINNYE. — Haaah! Je veux griffer.

PREMIÈRE ÉRINNYE. — Attends un peu : bientôt tes
35 ongles de fer traceront mille sentiers rouges dans la chair
des coupables. Approchez, mes sœurs, venez les voir.

UNE ÉRINNYE. — Comme ils sont jeunes!

UNE AUTRE ÉRINNYE. — Comme ils sont beaux!

PREMIÈRE ÉRINNYE. — Réjouissez-vous : trop souvent les
40 criminels sont vieux et laids; elle n'est que trop rare, la
joie exquise de détruire ce qui est beau.

LES ÉRINNYES. — Héiah! Héiahah!

TROISIÈME ÉRINNYE. — Oreste est presque un enfant.
Ma haine aura pour lui des douceurs maternelles. Je pren-
45 drai sur mes genoux sa tête pâle, je caresserai ses cheveux.

PREMIÈRE ÉRINNYE. — Et puis?

TROISIÈME ÉRINNYE. — Et puis je plongerai tout d'un
coup les deux doigts que voilà dans ses yeux.
                    Elles se mettent toutes à rire.

PREMIÈRE ÉRINNYE. — Ils soupirent, ils s'agitent; leur
50 réveil est proche. Allons, mes sœurs, mes sœurs les mouches, tirons les coupables du sommeil par notre chant.

---

1. Apollon, le traditionnel protecteur d'Oreste. Voir l'*Orestie* d'Eschyle.

CHŒUR DES ÉRINNYES. — Bzz, bzz, bzz, bzz.

Nous nous poserons sur ton cœur pourri comme des mouches sur une tartine [1].

55 Cœur pourri, cœur saigneux [2], cœur délectable.

Nous butinerons comme des abeilles le pus et la sanie de ton cœur.

Nous en ferons du miel, tu verras, du beau miel vert.

Quel amour nous comblerait autant que la haine?

60 Bzz, bzz, bzz, bzz.

Nous serons les yeux fixes des maisons,

Le grondement du molosse qui découvrira les dents sur ton passage,

Le bourdonnement qui volera dans le ciel au-dessus
65 de ta tête.

Les bruits de la forêt,

Les sifflements, les craquements, les chuintements, les ululements,

Nous serons la nuit,
70 L'épaisse nuit de ton âme.

Bzz, bzz, bzz, bzz,

Héiah! héiah! héiahah!

Bzz, bzz, bzz, bzz,

Nous sommes les suceuses de pus, les mouches,
75 Nous partagerons tout avec toi,

Nous irons chercher la nourriture dans ta bouche et le rayon de lumière au fond de tes yeux,

Nous t'escorterons jusqu'à la tombe

Et nous ne céderons la place qu'aux vers.
80 Bzz, bzz, bzz, bzz.

Elles dansent.

ÉLECTRE, *qui s'éveille.* — Qui parle? Qui êtes-vous?

LES ÉRINNYES. — Bzz, bzz, bzz.

ÉLECTRE. — Ah! vous voilà. Alors? Nous les avons tués pour de bon?

85 ORESTE, *s'éveillant.* — Électre!

ÉLECTRE. — Qui es-tu, toi? Ah! tu es Oreste. Va-t'en.

ORESTE. — Qu'as-tu donc?

---

1. *Cf.* p. 20, l. 68.
2. Vieux mot, qui subsiste dans le vocabulaire de la boucherie.

ÉLECTRE. — Tu me fais peur. J'ai rêvé que notre mère
était tombée à la renverse et qu'elle saignait, et son sang
90 coulait en rigoles sous toutes les portes du palais. Touche
mes mains, elles sont froides. Non, laisse-moi. Ne me
touche pas. Est-ce qu'elle a beaucoup saigné?

ORESTE. — Tais-toi.

ÉLECTRE, *s'éveillant tout à fait.* — Laisse-moi te regarder :
95 tu les as tués. C'est toi qui les as tués. Tu es là, tu viens de
t'éveiller, il n'y a rien d'écrit sur ton visage, et pourtant
tu les as tués.

ORESTE. — Eh bien? Oui, je les ai tués! *(Un temps.)* Toi
aussi, tu me fais peur. Tu étais si belle, hier. On dirait
100 qu'une bête t'a ravagé la face avec ses griffes.

ÉLECTRE. — Une bête? Ton crime. Il m'arrache les
joues et les paupières : il me semble que mes yeux et mes
dents sont nus. Et celles-ci? Qui sont-elles?

ORESTE. — Ne pense pas à elles. Elles ne peuvent rien
105 contre toi.

PREMIÈRE ÉRINNYE. — Qu'elle vienne au milieu de nous,
si elle l'ose, et tu verras si nous ne pouvons rien contre elle.

ORESTE. — Paix, chiennes [1]. A la niche! *(Les Érinnyes
grondent.)* Celle qui hier, en robe blanche, dansait sur les
110 marches du temple, est-il possible que ce fût toi?

ÉLECTRE. — J'ai vieilli. En une nuit.

ORESTE. — Tu es encore belle, mais... où donc ai-je vu
ces yeux morts? Électre... tu lui ressembles; tu ressembles à Clytemnestre [2]. Était-ce la peine de la tuer? Quand
115 je vois mon crime dans ces yeux-là, il me fait horreur.

PREMIÈRE ÉRINNYE. — C'est qu'elle a horreur de toi.

ORESTE. — Est-ce vrai? Est-ce vrai que je te fais horreur?

ÉLECTRE. — Laisse-moi.

PREMIÈRE ÉRINNYE. — Eh bien? Te reste-t-il le moindre
120 doute? Comment ne te haïrait-elle pas? Elle vivait tran-
quille avec ses rêves, tu es venu, apportant le carnage et le
sacrilège. Et la voilà, partageant ta faute, rivée sur ce
piédestal, le seul morceau de terre qui lui reste.

---

1. L'appellation de *chiennes* est traditionnelle pour les Érinnyes dans la tragédie grecque.
2. Sur la ressemblance d'Électre et de Clytemnestre, voir I, 5, l. 40 et suiv. et le commentaire p. 35. Pour le motif des yeux morts, voir le début de cette même scène (p. 34, l. 4).

ORESTE. — Ne l'écoute pas.

125 PREMIÈRE ÉRINNYE. — Arrière! Arrière! Chasse-le, Électre, ne te laisse pas toucher par sa main. C'est un boucher! Il a sur lui la fade odeur du sang frais. Il a tué la vieille très malproprement, tu sais, en s'y reprenant à plusieurs fois [1].

130 ÉLECTRE. — Tu ne mens pas?

PREMIÈRE ÉRINNYE. — Tu peux me croire, j'étais là, je bourdonnais autour d'eux.

ÉLECTRE. — Et il a frappé plusieurs coups?

PREMIÈRE ÉRINNYE. — Une bonne dizaine. Et, chaque 135 fois, l'épée faisait « cric » dans la blessure. Elle se protégeait le visage et le ventre avec les mains, et il lui a taillardé les mains.

_____

1. L'Électre de Sophocle invitait Oreste à frapper *plusieurs fois* leur mère : voir l'Exorde, éd. Bordas, p. 113.

● **Le désaveu d'Électre**

C'est Euripide qui, le premier, mit en scène une Électre abattue et pleine de regrets après le meurtre de sa mère. Du moins en acceptait-elle la responsabilité. Cette responsabilité, l'Électre de Sartre la rejette sur son frère. Comment expliquer son brusque revirement?

— Francis Jeanson (*op. cit.*, p. 12) en donne une explication psychologique : Électre se jette dans les bras de Jupiter « pour échapper à l'horreur que lui inspire un acte dont pourtant elle n'avait cessé de rêver. C'est qu'en effet elle se contentait d'en rêver : cela fait quinze ans qu'elle assouvit dans l'imaginaire son désir de vengeance et qu'elle vit de cette fiction ; elle s'est installée dans cette révolte passive, elle y a trouvé son équilibre. Elle a choisi de haïr dans l'impuissance, et de supporter sa situation misérable en y promenant cette haine rêveuse : "*Voleur!*, dit-elle à son frère. *Je n'avais presque rien à moi, qu'un peu de calme et quelques rêves. Tu m'as tout pris, tu as volé une pauvresse.*" Électre souhaitait la mort du couple abhorré, mais elle ne la *voulait* pas vraiment : elle s'en était remise à quelqu'un, elle n'était plus qu'*attente* [...]. »

— Bernard Guyon (*art. cit.*, p. 50), lui, cherche une raison essentiellement dramatique. Il s'agissait, pour Sartre, de mettre en valeur la fidélité d'Oreste à son acte par l'attitude opposée à celle de sa sœur : « Grâce à ce revirement [d'Électre], il a donné au drame intérieur de son héros une intensité beaucoup plus grande.»

ÉLECTRE. — Elle a beaucoup souffert? Elle n'est pas morte sur l'heure?

140   ORESTE. — Ne les regarde plus, bouche-toi les oreilles, ne les interroge pas surtout; tu es perdue si tu les interroges.

PREMIÈRE ÉRINNYE. — Elle a souffert horriblement.

ÉLECTRE, *se cachant la figure de ses mains.* — Ha!

145   ORESTE. — Elle veut nous séparer, elle dresse autour de toi les murs de la solitude. Prends garde : quand tu seras bien seule, toute seule et sans recours, elles fondront sur toi. Électre, nous avons décidé ce meurtre ensemble, et nous devons en supporter les suites ensemble.

150   ÉLECTRE. — Tu prétends que je l'ai voulu?

ORESTE. — N'est-ce pas vrai?

ÉLECTRE. — Non, ce n'est pas vrai... Attends... Si! Ah! je ne sais plus. J'ai rêvé ce crime. Mais toi, tu l'as commis, bourreau de ta propre mère.

155   LES ÉRINNYES, *riant et criant.* — Bourreau! Bourreau! Boucher!

ORESTE. — Électre, derrière cette porte, il y a le monde. Le monde et le matin. Dehors, le soleil se lève sur les routes. Nous sortirons bientôt, nous irons sur les routes
160   ensoleillées, et ces filles de la nuit [1] perdront leur puissance : les rayons du jour les transperceront comme des épées.

ÉLECTRE. — Le soleil...

PREMIÈRE ÉRINNYE. — Tu ne reverras jamais le soleil,
165   Électre. Nous nous masserons entre lui et toi comme une nuée de sauterelles et tu emporteras partout la nuit sur ta tête.

ÉLECTRE. — Laissez-moi! Cessez de me torturer!

ORESTE. — C'est ta faiblesse qui fait leur force. Vois :
170   elles n'osent rien me dire. Écoute : une horreur sans nom

---

1. Dans la troisième pièce de l'*Orestie* d'Eschyle, les Érinnyes se présentaient elles-mêmes comme les « tristes enfants de la Nuit ». Sur le problème posé par cette généalogie exceptionnelle au regard de la tradition mythologique, voir Clémence Ramnoux, *la Nuit et les enfants de la nuit de la tradition grecque*, Flammarion, coll. « Symboles », 1959, et Pierre Brunel, *le Mythe d'Électre*, pp. 83-84.

s'est posée sur toi et nous sépare. Pourtant qu'as-tu donc vécu que je n'aie vécu? Les gémissements de ma mère, crois-tu que mes oreilles cesseront jamais de les entendre? Et ses yeux immenses — deux océans démon-
175 tés — dans son visage de craie, crois-tu que mes yeux cesseront jamais de les voir? Et l'angoisse qui te dévore, crois-tu qu'elle cessera jamais de me ronger? Mais que m'importe : je suis libre. Par-delà l'angoisse et les souvenirs. Libre. Et d'accord avec moi. Il ne faut pas te haïr
180 toi-même[1], Électre. Donne-moi la main : je ne t'abandonnerai pas.

ÉLECTRE. — Lâche ma main! Ces chiennes noires autour de moi m'effraient, mais moins que toi.

PREMIÈRE ÉRINNYE. — Tu vois! Tu vois! N'est-ce pas,
185 petite poupée, nous te faisons moins peur que lui? Tu as besoin de nous, Électre, tu es notre enfant. Tu as besoin de nos ongles pour fouiller ta chair, tu as besoin de nos dents pour mordre ta poitrine, tu as besoin de notre amour cannibale pour te détourner de la haine que tu te portes, tu
190 as besoin de souffrir dans ton corps pour oublier les souffrances de ton âme. Viens! Viens! Tu n'as que deux marches à descendre, nous te recevrons dans nos bras, nos baisers déchireront ta chair fragile, et ce sera l'oubli, l'oubli au grand feu de la douleur.

195 LES ÉRINNYES. — Viens! Viens!
Elles dansent très lentement comme pour la fasciner. Électre se lève.

ORESTE, *la saisissant par le bras.* — N'y va pas, je t'en supplie, ce serait ta perte.

ÉLECTRE, *se dégageant avec violence.* — Ha! je te hais.
Elle descend les marches, les Érinnyes se jettent toutes sur elle.

ÉLECTRE. — Au secours!

Entre Jupiter.

---

1. C'est de cette haine de soi-même qu'Oreste devait en effet délivrer les habitants d'Argos. Sur ce motif de l'*héautontimorouménos*, voir *supra*, p. 49, note 2.

SCÈNE 2

[*Jupiter, avec des manières paternalistes, vient protéger
Électre au prix d'un reniement et d'un peu de repentir : elle
sera désormais sa proie. Mais Oreste connaît les ruses du
dieu et refuse de se reconnaître coupable.*]

ORESTE. — Le plus lâche des assassins, c'est celui qui
a des remords.

JUPITER. — Oreste! Je t'ai créé et j'ai créé toute chose :
regarde. (*Les murs du temple s'ouvrent. Le ciel apparaît,
constellé d'étoiles qui tournent. Jupiter est au fond de la
scène. Sa voix est devenue énorme — microphone — mais
on le distingue à peine.*) Vois ces planètes qui roulent en
5 ordre, sans jamais se heurter : c'est moi qui en ai réglé le
cours, selon la justice. Entends l'harmonie des sphères,
cet énorme chant de grâces minéral qui se répercute aux
quatre coins du ciel. (*Mélodrame.*) Par moi les espèces se
perpétuent, j'ai ordonné qu'un homme engendre toujours
10 un homme et que le petit du chien soit un chien, par moi
la douce langue des marées vient lécher le sable et se retire
à heure fixe, je fais croître les plantes, et mon souffle guide
autour de la terre les nuages jaunes du pollen. Tu n'es pas
chez toi, intrus; tu es dans le monde comme l'écharde
15 dans la chair, comme le braconnier dans la forêt seigneu-
riale : car le monde est bon; je l'ai créé selon ma volonté
et je suis le Bien. Mais toi, tu as fait le mal, et les choses
t'accusent de leurs voix pétrifiées : le Bien est partout,
c'est la moelle du sureau, la fraîcheur de la source, le grain
20 du silex, la pesanteur de la pierre; tu le retrouveras jusque
dans la nature du feu et de la lumière, ton corps même te
trahit, car il se conforme à mes prescriptions. Le Bien
est en toi, hors de toi : il te pénètre comme une faux, il
t'écrase comme une montagne, il te porte et te roule
25 comme une mer; c'est lui qui permit le succès de ta
mauvaise entreprise, car il fut la clarté des chandelles,
la dureté de ton épée, la force de ton bras. Et ce Mal
dont tu es si fier, dont tu te nommes l'auteur, qu'est-il
sinon un reflet de l'être, un faux-fuyant, une image trom-
30 peuse dont l'existence même est soutenue par le Bien.

Rentre en toi-même, Oreste[1] : l'univers te donne tort, et tu es un ciron[2] dans l'univers. Rentre dans la nature, fils dénaturé : connais ta faute, abhorre-la, arrache-la de toi comme une dent cariée et puante. Ou redoute que la
35 mer ne se retire devant toi, que les sources ne se tarissent sur ton chemin, que les pierres et les rochers ne roulent hors de ta route et que la terre ne s'effrite sous tes pas.

ORESTE. — Qu'elle s'effrite! Que les rochers me condamnent et que les plantes se fanent sur mon passage : tout ton
40 univers ne suffira pas à me donner tort. Tu es le roi des Dieux, Jupiter, le roi des pierres et des étoiles, le roi des vagues de la mer. Mais tu n'es pas le roi des hommes.

Les murailles se rapprochent, Jupiter réapparaît, las et voûté ; il a repris sa voix naturelle.

JUPITER. — Je ne suis pas ton roi, larve impudente. Qui donc t'a créé?

45 ORESTE. — Toi. Mais il ne fallait pas me créer libre.

JUPITER. — Je t'ai donné ta liberté pour me servir.

ORESTE. — Il se peut, mais elle s'est retournée contre toi et nous n'y pouvons rien, ni l'un ni l'autre.

JUPITER. — Enfin! Voilà l'excuse.

50 ORESTE. — Je ne m'excuse pas.

JUPITER. — Vraiment? Sais-tu qu'elle ressemble beaucoup à une excuse, cette liberté dont tu te dis l'esclave?

ORESTE. — Je ne suis ni le maître ni l'esclave, Jupiter. Je *suis* ma liberté! A peine m'as-tu créé que j'ai cessé de
55 t'appartenir.

ÉLECTRE. — Par notre père, Oreste, je t'en conjure, ne joins pas le blasphème au crime.

JUPITER. — Écoute-la. Et perds l'espoir de la ramener par tes raisons : ce langage semble assez neuf pour ses
60 oreilles — et assez choquant.

---

1. Parodie probable du monologue célèbre d'Auguste, dans *Cinna* de Corneille (IV, 2, v. 1130) : « Rentre en toi-même, Octave, et cesse de te plaindre »).
2. Animal extrêmement petit que Pascal prend comme symbole de l'infiniment petit dans le fragment des *Pensées* « Disproportion de l'homme ».

ORESTE. — Pour les miennes aussi, Jupiter. Et pour ma
gorge qui souffle les mots et pour ma langue qui les façon-
ne au passage : j'ai de la peine à me comprendre. Hier
encore tu étais un voile sur mes yeux, un bouchon de
65 cire dans mes oreilles; c'était hier que j'avais une excuse :
tu étais mon excuse d'exister, car tu m'avais mis au monde
pour servir tes desseins, et le monde était une vieille entre-
metteuse qui me parlait de toi, sans cesse. Et puis tu m'as
abandonné.

70   JUPITER. — T'abandonner, moi?

ORESTE. — Hier, j'étais près d'Électre; toute ta nature
se pressait autour de moi; elle chantait ton Bien, la sirène,
et me prodiguait les conseils. Pour m'inciter à la douceur,
le jour brûlant s'adoucissait comme un regard se voile;
75 pour me prêcher l'oubli des offenses, le ciel s'était fait
suave comme un pardon. Ma jeunesse, obéissant à tes
ordres, s'était levée, elle se tenait devant mon regard,
suppliante comme une fiancée qu'on va délaisser : je voyais
ma jeunesse pour la dernière fois. Mais, tout à coup, la
80 liberté a fondu sur moi [1] et m'a transi, la nature a sauté
en arrière, et je n'ai plus eu d'âge, et je me suis senti tout
seul, au milieu de ton petit monde bénin, comme quelqu'un qui a perdu son ombre [2]; et il n'y a plus rien eu au
ciel, ni Bien ni Mal, ni personne pour me donner des
85 ordres.

JUPITER. — Eh bien? Dois-je admirer la brebis que la
gale retranche du troupeau, ou le lépreux enfermé dans
son lazaret [3]? Rappelle-toi, Oreste : tu as fait partie de
mon troupeau, tu paissais l'herbe de mes champs au
90 milieu de mes brebis. Ta liberté n'est qu'une gale qui te
démange, elle n'est qu'un exil.

ORESTE. — Tu dis vrai : un exil.

JUPITER. — Le mal n'est pas si profond : il date d'hier.
Reviens parmi nous. Reviens : vois comme tu es seul, ta
95 sœur même t'abandonne. Tu es pâle, et l'angoisse dilate
tes yeux. Espères-tu vivre? Te voilà rongé par un mal

1. Cf. p. 76, l. 33-34 « ORESTE. — Je suis libre, Électre; la liberté a fondu sur moi comme
la foudre. »
2. Comme Peter Schlemihl, le héros du conte de Chamisso (1814).
3. Lieu d'isolement pour les personnes atteintes de maladies contagieuses.

inhumain, étranger à ma nature, étranger à toi-même.
Reviens : je suis l'oubli, je suis le repos.

ORESTE. — Étranger à moi-même, je sais. Hors nature,
100 contre nature, sans excuse, sans autre recours qu'en moi.
Mais je ne reviendrai pas sous ta loi : je suis condamné à
n'avoir d'autre loi que la mienne. Je ne reviendrai pas
à ta nature : mille chemins y sont tracés qui conduisent
vers toi, mais je ne veux suivre que mon chemin. Car
105 je suis un homme, Jupiter, et chaque homme doit inventer son chemin. La nature a horreur de l'homme, et toi,
toi, souverain des Dieux, toi aussi tu as les hommes en
horreur.

JUPITER. — Tu ne mens pas : quand ils te ressemblent,
110 je les hais.

ORESTE. — Prends garde : tu viens de faire l'aveu de ta
faiblesse. Moi, je ne te hais pas. Qu'y a-t-il de toi à moi?
Nous glisserons l'un contre l'autre sans nous toucher,
comme deux navires. Tu es un Dieu et je suis libre : nous
115 sommes pareillement seuls et notre angoisse est pareille.
Qui te dit que je n'ai pas cherché le remords, au cours de
cette longue nuit? Le remords. Le sommeil. Mais je ne
peux plus avoir de remords. Ni dormir.

Un silence.

JUPITER. — Que comptes-tu faire?

120 ORESTE. — Les hommes d'Argos sont mes hommes.
Il faut que je leur ouvre les yeux.

JUPITER. — Pauvres gens! Tu vas leur faire cadeau de la
solitude et de la honte, tu vas arracher les étoffes dont je
les avais couverts, et tu leur montreras soudain leur exis-
125 tence, leur obscène et fade existence, qui leur est donnée
pour rien.

ORESTE. — Pourquoi leur refuserais-je le désespoir qui
est en moi, puisque c'est leur lot?

JUPITER. — Qu'en feront-ils?

130 ORESTE. — Ce qu'ils voudront : ils sont libres, et la vie
humaine commence de l'autre côté du désespoir.

Un silence.

JUPITER. — Eh bien, Oreste, tout ceci était prévu. Un
homme devait venir annoncer mon crépuscule. C'est donc
toi? Qui l'aurait cru, hier, en voyant ton visage de fille?

135   ORESTE. — L'aurais-je cru moi-même? Les mots que je
dis sont trop gros pour ma bouche, ils la déchirent; le
destin que je porte est trop lourd pour ma jeunesse, il l'a
brisée.

    JUPITER. — Je ne t'aime guère et pourtant je te plains.

140   ORESTE. — Je te plains aussi.

    JUPITER. — Adieu, Oreste. *(Il fait quelques pas.)* Quant
à toi, Électre, songe à ceci : mon règne n'a pas encore pris
fin, tant s'en faut — et je ne veux pas abandonner la lutte.
Vois si tu es avec moi ou contre moi. Adieu.

145   ORESTE. — Adieu.

Jupiter sort.

SCÈNE 3

[*Malgré l'appel d'Oreste, Électre renie son frère et complice. Les Érinnyes se jettent sur elle. Mais elle supplie
Jupiter en criant « je me repens », et parvient ainsi à leur
échapper.*]

SCÈNE 4

[*Les Érinnyes se rapprochent d'Oreste en bourdonnant.*]

● **Oreste, porte-parole de Sartre**

Dans ces lignes (l. 99-131), Gabriel Marcel voit « l'essentiel »
des *Mouches*, parce que Sartre lui-même s'y exprime sans se
soucier de brouiller ses propres traces :

« Ce qu'il importe de remarquer ici, c'est qu'Oreste parle exactement comme pourrait le faire l'auteur lui-même pris à parti par
ses adversaires. Le lecteur de *La Nausée* ne trouvait-il pas dans
ce livre la révélation de cette "obscène et fade existence" qui
est "donnée à l'homme pour rien" — en d'autres termes, dont on ne
peut espérer rendre compte par le recours à une téléologie morale
ou religieuse? Mais il faut ajouter aussitôt qu'à en croire M. Sartre,
c'est seulement à partir de cette révélation désespérante que
l'homme peut prendre conscience de sa liberté [...]. Mais, bien
entendu, lorsque nous envisageons Oreste comme simple porte-
parole du philosophe, nous faisons abstraction de son caractère
tragique. Oreste lui-même a accédé sous nos yeux à cette con-
naissance libératrice, et on peut dire que cette accession constitue le sujet même de l'œuvre. » (« *Les Mouches* », dans *Chercher
Dieu*, vol. cit., p. 169.)

SCÈNE 5

[*Le Pédagogue vient annoncer à Oreste que les gens
d'Argos assiègent le temple pour lapider le régicide. Oreste
lui ordonne d'ouvrir la porte. La foule s'arrête interdite sur
le seuil. Vive lumière.*]

SCÈNE 6

LES MÊMES, LA FOULE

CRIS DANS LA FOULE. — A mort! A mort! Lapidez-le!
Déchirez-le! A mort!

ORESTE, *sans les entendre.* — Le soleil!

LA FOULE. — Sacrilège! Assassin! Boucher. On t'écar-
⁵ tèlera. On versera du plomb fondu dans tes blessures.

UNE FEMME. — Je t'arracherai les yeux.

UN HOMME. — Je te mangerai le foie.

ORESTE *s'est dressé.* — Vous voilà donc, mes sujets
très fidèles! Je suis Oreste, votre roi, le fils d'Agamemnon,
¹⁰ et ce jour est le jour de mon couronnement.

              La foule gronde, décontenancée.

Vous ne criez plus? (*La foule se tait.*) Je sais : je vous
fais peur. Il y a quinze ans, jour pour jour, un autre meurtrier s'est dressé devant vous, il avait des gants rouges
jusqu'au coude, des gants de sang, et vous n'avez pas eu
¹⁵ peur de lui car vous avez lu dans ses yeux qu'il était des
vôtres et qu'il n'avait pas le courage de ses actes. Un crime
que son auteur ne peut supporter, ce n'est plus le crime de
personne, n'est-ce pas? C'est presque un accident. Vous
avez accueilli le criminel comme votre roi, et le vieux crime
²⁰ s'est mis à rôder entre les murs de la ville, en gémissant
doucement, comme un chien qui a perdu son maître. Vous
me regardez, gens d'Argos, vous avez compris que mon
crime est bien à moi; je le revendique à la face du soleil,
il est ma raison de vivre et mon orgueil, vous ne pouvez
²⁵ ni me châtier ni me plaindre, et c'est pourquoi je vous

fais peur. Et pourtant, ô mes hommes, je vous aime, et
c'est pour vous que j'ai tué. Pour vous. J'étais venu ré-
clamer mon royaume et vous m'avez repoussé parce que je
n'étais pas des vôtres. A présent, je suis des vôtres, ô mes
30 sujets, nous sommes liés par le sang, et je mérite d'être
votre roi. Vos fautes et vos remords, vos angoisses nocturnes, le crime d'Égisthe, tout est à moi, je prends tout
sur moi. Ne craignez plus vos morts, ce sont *mes* morts.
Et voyez : vos mouches fidèles vous ont quittés pour moi.
35 Mais n'ayez crainte, gens d'Argos : je ne m'assiérai pas,
tout sanglant, sur le trône de ma victime : un Dieu me
l'a offert et j'ai dit non [1]. Je veux être un roi sans terre et
sans sujets. Adieu, mes hommes, tentez de vivre : tout est
neuf ici, tout est à commencer. Pour moi aussi la vie com-
40 mence. Une étrange vie. Écoutez encore ceci : un été,
Scyros [2] fut infestée par les rats. C'était une horrible lèpre,
ils rongeaient tout; les habitants de la ville crurent en
mourir. Mais un jour, vint un joueur de flûte. Il se dressa
au cœur de la ville — comme ceci. *(Il se met debout.)* Il
45 se mit à jouer de la flûte et tous les rats vinrent se presser
autour de lui. Puis il se mit en marche à longues enjambées,
comme ceci *(il descend du piédestal),* en criant aux gens
de Scyros : « Écartez-vous! » *(La foule s'écarte.)* Et tous
les rats dressèrent la tête en hésitant — comme font les
50 mouches. Regardez! Regardez les mouches! Et puis tout
d'un coup ils se précipitèrent sur ses traces. Et le joueur de
flûte avec ses rats disparut pour toujours. Comme ceci.

> *Il sort ; les Érinnyes se jettent en hurlant*
> *derrière lui.*

RIDEAU

1. Dans un passage de la scène 2 de l'acte III, que nous n'avons pas reproduit.
2. Ile de la mer Égée, au nord-est de l'Eubée.

● **Solitude d'Oreste**

Gabriel Marcel fait de sérieuses réserves sur ce « dénouement »
(« Les Mouches », *art. cit.,* pp. 173-174) :

« Au terme de la tragédie, Oreste est seul et cette solitude est
peut-être moins la rançon de sa victoire qu'elle n'en est le fruit.
Je veux dire que dans une telle perspective la solitude ne saurait

être regardée comme un châtiment ou comme un mal, au contraire. On peut se demander si elle n'est pas le bien suprême
pour une âme qui s'est révélée assez forte pour l'accepter.
" *N'ayez crainte, gens d'Argos : je ne m'assiérai pas, tout sanglant,
sur le trône de ma victime : un dieu me l'a offert, et j'ai dit non.
Je veux être un roi sans terre et sans sujets. Adieu, mes hommes,
tentez de vivre : tout est neuf ici, tout est à commencer. Pour moi
aussi la vie commence. Une étrange vie.*" Mais comment ne pas
dénoncer ce que ce refus du pouvoir a en lui-même d'ambigu? La
responsabilité qu'Oreste assume pour son compte, il la décline en
réalité pour les autres, même s'il proclame qu'il est des leurs,
qu'ils sont liés par le sang, et qu'il mérite d'être leur roi. Disons
plutôt qu'il le mériterait s'il le voulait; mais justement il ne le
veut pas, et sans doute ne peut-il pas le vouloir. Il s'est, en effet,
retranché d'eux — paradoxalement — et cela par l'acte même
par lequel il semble avoir voulu instaurer entre eux et lui une
communion réelle. C'est dire que la liberté à laquelle il accède est
au fond la moins créatrice qui soit, et qu'elle ne peut, en fin de
compte, inaugurer un ordre neuf. On peut même aller jusqu'à se
demander si Oreste ne répudie pas à l'avance tout ordre quel qu'il
soit; car, de cet ordre, s'il était le promoteur, il risquerait aussi
de devenir le prisonnier. Dès lors, on peut estimer que cette liberté
s'exténue au point de se supprimer, car elle s'épuise au fond
dans l'expérience monadique que l'agent fait de sa propre puissance de rupture. »

Lucien Goldmann, de son côté, cherche à justifier ce dénouement par la philosophie de Sartre et par la tradition grecque
(« Le Théâtre de Jean-Paul Sartre », dans *Structures mentales
et création culturelle*, éd. Anthropos, p. 227) :
« Lorsque la fin approche, Oreste reste seul, contre Jupiter,
contre Électre, en proie à l'hostilité des Érinnyes et des habitants
d'Argos qui lui reprochent d'avoir tué leur roi : bien qu'autrui
soit l'objet de son action, l'homme libre reste pour toujours et
éternellement solitaire. J'ai dit "lorsque la fin approche" car, là
aussi, apparaît une autre idée essentielle de la pensée existentialiste : pour l'individu, aucun engagement, aucun acte ne
saurait assurer plus qu'une liberté provisoire, nécessairement
bornée par la limite infranchissable, la mort. Plus tôt ou plus
tard, tout pour-soi, même le plus conscient et le plus libre, se
transforme en en-soi.
» La tradition grecque ne parlait pas de la mort d'Oreste, mais
offrait à Sartre une métaphore de la mort : la folie du héros.
Aussi la pièce se termine-t-elle par le départ d'Oreste qui, per-
dant sa lucidité, croit qu'en quittant solitaire la ville qui lui reste
étrangère il l'a néanmoins libérée et emporte les mouches avec
lui. »

Michel Contat et Michel Rybalka résolvent la difficulté en rappe-
lant que la pièce n'est qu'un moment dans l'évolution de Sartre
(*Les Écrits de Sartre*, op. cit., p. 91) :
« Tout comme *l'Être et le Néant*, l'œuvre pourrait être définie
comme une "eidétique de la mauvaise foi". C'est dans cette pers-

pective qu'il faut, semble-t-il, interpréter aujourd'hui le personnage d'Oreste et résoudre l'ambiguïté qui plane sur la fin de la pièce. En effet, Oreste représente la prise de conscience d'une liberté qui choisit d'échapper à la mauvaise foi. Mais l'acte d'héroïsme solitaire par lequel cette liberté s'affirme est un moyen de salut personnel et non de libération pratique. Cette attitude correspond à celle de Sartre à une époque où il concevait encore l'engagement comme un problème de morale individuelle. Sartre n'a véritablement dépassé cette conception que plus tard, lorsqu'il s'est rendu compte que la morale qu'il était en train d'élaborer risquait de rester une "morale d'écrivain". »

ARCH. E. B. PH. © ROGER-VIOLLET

Mycènes : Tombeau d'Agamemnon

ÉTUDE DES « MOUCHES »

On pourrait imaginer, à propos des *Mouches*, une querelle analogue à celle qui opposa les philosophes « essentialistes » et les « existentialistes ». Il ne s'agirait plus cette fois de l'antériorité, ou non, de l'existence par rapport à l'essence ; mais de l'antériorité du mythe d'Électre par rapport à l'œuvre nouvelle qui semble l'illustrer.

Nous vivons, en effet, sur une conception du mythe qu'on peut à bon droit qualifier de « mythique ». Elle apparaît clairement, par exemple, dans les premières lignes du *Traité du Narcisse* d'André Gide :

> « Les livres ne sont peut-être pas une chose bien nécessaire ; quelques mythes d'abord suffisaient ; une religion y tenait tout entière. Le peuple s'étonnait à l'apparence des fables et sans comprendre il adorait ; les prêtres attentifs, penchés sur la profondeur des images, pénétraient lentement l'intime sens du hiéroglyphe. Puis on a voulu expliquer ; les livres ont amplifié les mythes ; — mais quelques mythes suffisaient [1]. »

Avec une satisfaction non dissimulée, le vieil humaniste verra Sartre, cet agitateur, retrouver l'antiquité grecque. Mais sa nostalgie n'en sera pas dissipée pour autant, tant il jugera supérieur le modèle, et impertinente, ou fade, l'imitation.

En ce domaine, Claude Lévi-Strauss a réalisé une manière de « révolution copernicienne » quand, dans un chapitre célèbre de son *Anthropologie structurale*, il nous a invités à considérer qu' « il n'existe pas de version vraie » du mythe, « dont toutes les autres seraient des copies ou des échos déformés » : « toutes les versions appartiennent au mythe » ; bien plus, « un mythe se compose de l'ensemble de ses variantes » [2]. Une pièce comme *les Mouches* ne reçoit plus alors son sens d'un mythe préexistant ; elle complète un ensemble mythique qui reste inachevé,

1. *Le Traité du Narcisse*, dans André Gide, *Romans, récits et satires, œuvres lyriques*, Gallimard, coll. « Bibliothèque de la Pléiade », 1958, p. 3.
2. Claude Lévi-Strauss, *Anthropologie structurale*, Plon, 1958. chap. XI, « la Structure des mythes », pp. 240-242.

elle en enrichit le sens. Elle est moins « informée » par lui qu'elle ne l' « informe » à son tour. Elle nous fait assister, non à l'utilisation par un dramaturge de talent d'un moule mythique, mais à la rencontre d'un homme et d'un mythe. Rencontre d'où surgit l'œuvre dans sa liberté.

1. Le mythe

Il peut sembler impropre de parler du « mythe d'Électre », surtout si l'on songe que, dans les premières versions connues, chez Homère par exemple, ou chez Pindare, le nom d'Électre n'apparaît pas. Sartre fait preuve, d'ailleurs, d'une intuition remarquable en choisissant un titre qui ne se confond pas avec le nom de l'héroïne et en faisant descendre celle-ci du piédestal où l'avaient hissée tant de poètes, de Sophocle à Giraudoux. C'est le signe d'une attitude originale qui n'exclut pas — au contraire — le sens de l'authenticité.

Le « mythe d'Électre » est inséparable de l'histoire légendaire de la famille des Atrides. Nous n'entrerons pas ici dans des détails qui seraient superflus [1]. Sartre lui-même nous invite à la sobriété, puisqu'il s'en tient à la tradition la plus brève, celle du mythe atride, sans l'élargir en mythe pélopide ou en mythe tantalide [2]. Égisthe, fils de Thyeste, reproche à Électre d'être « le dernier rejeton d'une race maudite », « la petite-fille d'Atrée qui égorgea lâchement ses neveux » (les fils de Thyeste, ses frères à lui) :

> « Je t'ai tolérée par pitié dans mon palais, mais je reconnais ma faute aujourd'hui, car c'est toujours le vieux sang pourri des Atrides qui coule dans tes veines, et tu nous infecteras tous si je n'y mettais bon ordre. » (II, premier tableau, sc. 3, l. 13-16)

Sartre restreint encore le champ dramatique en se contentant d'allusions au meurtre d'Agamemnon perpétré par Égisthe et Clytemnestre au retour de Troie. On sait qu'Eschyle en avait fait le sujet de la première pièce de sa trilogie. *Les Mouches* reprennent l'épisode central de l'*Orestie* : l'exécution du couple criminel par Oreste, le fils d'Agamemnon. Tout au plus peut-on noter qu'avec l'acte III Sartre a tendance à déborder des *Choéphores* sur les *Euménides*, à aller au-delà de l'acte jusqu'à ses conséquences [3].

---

1. Nous renvoyons à notre ouvrage sur *le Mythe d'Électre*, Armand Colin, 1971.
2. Voir l'*op. cit.*, pp. 15-16. L'attitude de Sartre est très différente à cet égard de celle d'André Suarès dans sa *Tragédie d'Élektre et d'Oreste* (1905).
3. Voir à ce sujet le commentaire p. 77.

Pour la généalogie des Atrides, il s'en tient à l'arbre le plus communément admis, en ne s'embarrassant d'aucun personnage superflu (point de Chrysothémis, sœur d'Électre, comme chez Sophocle ; point de Pylade, ami et futur beau-frère d'Oreste, comme chez Euripide), d'aucune de ces subtilités auxquelles se sont plu les Anciens (Stésichore introduisant un nommé Plisthène, entre Atrée et Agamemnon) et les Modernes (songeons à l'invraisemblable complication de l'*Électre* de Jean-Pierre Giraudoux).

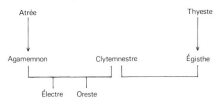

Cet arbre généalogique simplifié indique que, dans *les Mouches*, le mythe a tendance à se réduire à une épure. Le déroulement dramatique permettra de retrouver les moments principaux de l'histoire de la vengeance d'Oreste :

— le retour de l'exilé, accompagné de son précepteur, comme chez Sophocle (I, 2 et 3) ;
— la rencontre d'Électre et d'Oreste (I, 3 et 4) ;
— la rencontre du fils et de la mère (I, 5) ;
— la reconnaissance du frère et de la sœur, et le projet du double meurtre (II, premier tableau, 4) ;
— l'exécution d'Égisthe (II, deuxième tableau, 6) ;
— l'exécution de Clytemnestre (II, deuxième tableau, 7) ;
— l'intervention des Érinnyes (III).

On observera que tout le début du premier tableau du deuxième acte n'apparaît pas dans cette séquence. C'est que Sartre y a développé un autre élément mythique, celui de l'évocation des morts telle qu'on la trouve dans la νέκυια homérique, au chant XI de l'*Odyssée*. Le prétexte en est la fête au cours de laquelle la mort d'Agamemnon est célébrée par ses meurtriers et qui semble bien avoir été une invention de Sophocle[1]. Sartre a accordé à cet épisode une impor-

---

1. Électre, au début de la tragédie de Sophocle, explique que Clytemnestre affecte d'être fière de son crime : « Ayant trouvé le jour où elle a par traîtrise assassiné mon père, c'est ce jour-là qu'elle choisit pour y organiser les chœurs et pour y faire chaque mois couler le sang des victimes en hommage aux Dieux Sauveurs. Et moi, qui vois cela, moi misérable au fond de ce palais, je pleure, je me consume, je gémis sur cet affreux festin — ce festin dit d'Agamemnon » (traduction Paul Mazon). C'est également pour cet anniversaire qu'Égisthe organise la fête des morts, comme Électre l'apprend à Oreste (p. 39, l. 167 et suiv.).

tance qu'on pourrait juger excessive s'il n'y avait un précédent
illustre, le « Kommos » des *Choéphores* où tour à tour Oreste,
Électre et le Coryphée évoquaient, non point les morts, mais
le mort, Agamemnon lui-même.

D'une manière générale — et c'est là une singulière limite
de sa sobriété — Sartre n'a pas craint l'amalgame. Amalgame
des mythes grecs (les sirènes, par exemple); amalgame
surtout avec des contes mieux connus de nos enfants, l'histoire
du petit tailleur, de Grimm, par exemple, dont le souvenir passe
et repasse (I, 1, p. 20, note 1; II, deuxième tableau, sc. 2;
III, 1, p. 81, l. 53-54), et surtout l'histoire du joueur de flûte
de Hammeln, devenu joueur de flûte de Skyros, avec lequel
s'identifie Oreste dans la scène finale.

Ne crions pas au scandale. Un Shakespeare procédait à
des mélanges de mythologies encore bien plus hardis. Il nous
paraît plus intéressant de nous interroger sur les raisons de
cet amalgame. Nous écarterons, comme allant de soi, l'idée
de la contamination des mythes : tous ceux qui se sont pen-
chés sur l'étude des mythes en littérature savent qu'ils s'agit
là d'un phénomène à peu près constant [1]. Nous éviterons
l'explication, à notre avis peu pertinente, par une intention
de dérision qui serait prêtée à Sartre. Il nous semble bien
plutôt qu'il existe pour lui des liens entre ces contes divers et
que ces liens justifient à eux seuls l'amalgame. Ils sont cons-
titués par des images récurrentes qui deviennent obsédantes.

La plus remarquable est l'image des mouches : les Érinnyes
formaient, aux yeux de l'Oreste d'Eschyle [2] et du Jardinier
de Giraudoux [3], un essaim fourmillant, comme les mouches
que le petit tailleur dut abattre parce qu'elles lui disputaient
sa tartine. Mouches qui peuvent être, par un amalgame nouveau, les sauterelles de l'Apocalypse [4]. L'image qui a fourni à
Sartre le titre de sa pièce est une image-archétype, inséparable du mythe et pourtant transcendante au mythe. Symbole
des tourments de l'homme, en particulier de la folie (dans le
roman de Miguel-Angel Asturias, *Homme de maïs*, le fou
Calistro « se défend des mouches qui le poursuivent de toutes
parts jusqu'à le faire saigner, et ses pieds sont comme des
pâtés de tiques [5]», c'est également le symbole de l'agitation

1. En ce qui concerne le mythe d'Électre nous en donnons quelques exemples dans notre
op. cit.: voir pp. 114-116, « la surimposition et ses modes ». Plusieurs sont empruntés à
l'*Électre* de Jean Giraudoux.
2. *Les Choéphores* v. 1057.
3. Jean GIRAUDOUX, *Électre* acte I sc. 1 : « LE JARDINIER. — Voulez-vous partir! Allez-
vous nous laisser! On dirait des mouches. »
4. Acte III, sc. 1 : « PREMIÈRE ÉRINNYE. — Tu ne recevras jamais le soleil, Électre. Nous
nous masserons entre lui et toi comme une nuée de sauterelles et tu emporteras partout la
nuit sur ta tête » (p. 84, l. 164 et suiv.).
5. Trad. F. de Miomandre, Albin Michel, 1953, p. 60.

dérisoire de l'humanité, « une foule de mouches et de mou-
cherons », dit la Folie d'Érasme, « qui se battent entre eux,
luttent et se tendent des pièges, se volent, jouent, gambadent,
tombent et meurent, et l'on ne peut croire quels troubles,
quelles tragédies produit un si petit animalcule destiné à sitôt
périr »[1]. Cette ambivalence du symbole se retrouve dans la
pièce de Sartre : les mouches sont à la fois les Érinnyes, les
remords imposés aux hommes par leurs dirigeants, et ces
hommes eux-mêmes, morts ou vivants : dans la scène 1
de l'acte I, Jupiter bondit sur la vieille Argienne comme sur
un insecte (l. 153); les rats sont encore les mouches, comme
l'explique fort bien Oreste à ceux qu'il vient de délivrer et dont
il a refusé de faire ses sujets (III, 6, l. 48-52) :

> « Tous les rats dressèrent la tête en hésitant — comme font
> les mouches. Regardez! Regardez les mouches! Et puis tout
> d'un coup ils se précipitèrent sur ses traces. Et le joueur de
> flûte avec ses rats disparut pour toujours. Comme ceci. »

2. Situation dramatique et situation historique

Surgi de l'Histoire, le mythe s'en dégage et entre dans l'éternité, ou du moins acquiert une dimension transcendante à
l'histoire, transhistorique. Tel est le cas du mythe des Atrides,
reflet des grandes migrations dans le Péloponèse[2], mais bientôt
si indépendant de l'événement originel qu'il prend racine dans
d'autres temps et dans d'autres lieux : l'Athènes du début
du Ve siècle déchirée entre le droit ancien et le droit nouveau
(les *Euménides* d'Eschyle), les États-Unis d'Amérique après la
Guerre de Sécession (*Le Deuil sied à Électre*, d'Eugène O'Neill).
Sans que le transfert soit explicite, le canevas à l'antique peut
laisser voir en transparence la situation contemporaine que
connaît le dramaturge. Euripide, à la fin de son *Électre*,
faisait clairement allusion à l'expédition de Nicias en Sicile
(413). L'*Électre* de Giraudoux posait un problème inséparable
de l'angoisse suscitée par la montée des fascismes dans l'Eu-
rope de 1937 : faut-il, pour sauver la justice, déclencher la
catastrophe qui laissera tout « gâché », tout « saccagé »[3]?
Quand Sartre écrit *les Mouches*, la catastrophe attendue
par Giraudoux s'est déclenchée. Et à cet égard les deux œuvres
sont admirablement complémentaires. Nous sommes en
1942. La France vaincue est occupée par les Allemands avec

1. Érasme, *Éloge de la folie* trad. M. Rat, Garnier, 1953, p. 105.
2. Voir P. Brunel, *le Mythe d'Électre*, pp. 8-14.
3. Jean GIRAUDOUX, *Électre*, Bernard Grasset, 1937, p. 219.

l'aveu du gouvernement de Vichy. On reconnaîtra au passage
des allusions à cet état d'asphyxie, quand « le venin nazi
se glissait jusque dans notre pensée »[1], et à la politique du
mea culpa dirigé mise en vigueur du côté de Vichy [2], que
l'auteur dénoncera dans un article de *Situations III*, « Paris
sous l'occupation ». Ces allusions étaient plus transparentes
pour les lecteurs ou pour les spectateurs de l'époque qu'elles
ne le sont aujourd'hui.

Il ne faut pas perdre de vue ce fait essentiel : avec *les Mouches* nous avons une œuvre de la Résistance. Avant d'être du
théâtre de situation, c'est du théâtre situé. « Les événements »
ont fondu « comme des voleurs » sur Sartre et sur les écrivains
de sa génération, et il n'a point voulu, il n'a pas pu, leur
tourner le dos. « Nous nous persuadions, écrira-t-il plus tard
en songeant à cette période, qu'aucun art ne saurait être
vraiment nôtre s'il ne rendait à l'événement sa brutale fraîcheur, son ambiguïté, son imprévisibilité, au temps son
cours, au monde son opacité menaçante et somptueuse, à
l'homme sa longue patience. »[3] Mais, ne pouvant présenter
directement les événements contemporains, Sartre a dû
recourir à un subterfuge. Et c'est là, de nouveau, qu'intervient
le mythe.

Cette évocation « de biais » pose un problème sur lequel il
convient maintenant de s'arrêter, et qui n'a point échappé à
l'auteur. Si l'événement est ambigu, comme il le souligne lui-
même dans le texte que nous venons de citer, la pièce conçue
en tant que réaction à l'événement l'est aussi. « La littérature
de résistance n'a pas produit grand-chose de bon », croira
devoir reconnaître Sartre [4]. C'est qu'elle était contrainte à
l'obliquité, comme Oreste, qui prend une fausse identité, celle
du Corinthien Philèbe, Oreste qui recourt à une ruse grossière,
se cachant derrière le trône royal pour prendre au piège l'usurpateur (II, deuxième tableau), et à qui Électre elle-même
reproche de parler par énigmes (II, premier tableau, sc. 4,
l. 130). Le fait que le résistant ait pris les traits d'Oreste est le
signe même de cette obliquité : « A la différence de Diderot et
de Voltaire, nous ne pouvions pas nous adresser aux oppres-
seurs, sinon par fiction littéraire [5]. » Voilà sans doute la première raison de l'usage du mythe : un masque imposé, mais un
masque qu'il s'agissait de rendre transparent.

1. *Situations III*, « la République du silence », 1949, p. 11.
2. Voir sur ce point Francis Jeanson, *Sartre par lui-même*, p. 10, et ici le commentaire,
p. 22.
3. « Qu'est-ce que la littérature? », dans *Situations II*, pp. 253-254.
4. *Situations II*, p. 257.
5. *Ibid.*, p. 258.

Il y a là un paradoxe non dépourvu de signification. Cette signification, nous voudrions essayer de l'épuiser en nous plaçant toujours au point de vue de l'écrivain résistant. En effet, dans *les Mouches*, Sartre oppose à l'obliquité d'Oreste l'attitude apparemment plus directe d'Électre, qui représente la protestation impertinente, la résistance pure. Il suffit de voir la manière dont elle répand les ordures sur la statue de Jupiter (I, 4) ou dont elle intervient dans la fête des morts (II, premier tableau). Et pourtant c'est elle qui, à l'acte III, et déjà à la fin de l'acte II, cédera. On dirait que Sartre se méfie de la témérité, qu'il y décèle une apparence trompeuse.

L'obliquité, en revanche, permet l'accomplissement de soi et l'exercice de la vraie liberté : Électre a le tort de vivre dans un songe [1], comme inconsciente de l'obstacle. Au contraire, Oreste est contraint par la proximité de l'obstacle, par la contingence du réel. Cette contrainte, Sartre lui-même l'a ressentie : « Jamais nous n'avons été plus libres que sous l'occupation allemande », écrit-il dans *Situations III*. « Puisque le venin nazi se glissait jusque dans notre pensée, chaque pensée juste était une conquête; chaque parole devenait précieuse comme une déclaration de principe; puisque nous étions traqués, chacun de nos gestes avait le poids d'un engagement. »[2]

C'est en cela que la situation dramatique et la situation historique se rejoignent : il s'agit, dans l'un et l'autre cas, d'une situation extrême où l'homme est contraint à la liberté. Sartre, dans *Situations II*, s'est expliqué nettement sur ce point. Les écrivains de la génération précédente se contentaient de nous présenter des « situations moyennes », cadre commode pour « leur culture, leur sagesse, leurs mœurs, et leurs proverbes », « régions tempérées » où leurs héros pouvaient pratiquer des « vertus modestes ». Après le tournant de 1939, la chose n'était plus possible :

> « [...] Nous ne pouvions plus trouver *naturel* d'être hommes quand nos meilleurs amis, s'ils étaient pris, ne pouvaient choisir qu'entre l'abjection et l'héroïsme, c'est-à-dire entre les deux extrêmes de la condition humaine, au-delà desquels il n'y a plus rien. [...] Nos pères ont toujours disposé de témoins et d'exemples. Pour ces hommes torturés il n'y en avait plus. C'est Saint-Exupéry qui a dit, au cours d'une mission dangereuse : « Je suis mon propre témoin ». Ainsi d'eux : l'angoisse commence pour un homme et le délaissement et

---

1. Voir le commentaire, p. 83. Sur ce point, Sartre retrouve d'ailleurs la tradition eschyléenne. Voir P. Brunel, *le Mythe d'Électre*, p. 108.
2. *Situations III*, « la République du silence », p. 11.

les sueurs de sang, quand il ne peut plus avoir d'autre témoin que lui-même ; c'est alors qu'il boit le calice jusqu'à la lie, c'est-à-dire qu'il éprouve jusqu'au bout sa condition d'homme. Certes nous sommes bien loin d'avoir tous ressenti cette angoisse, mais elle nous a tous hantés comme une menace et comme une promesse ; cinq ans, nous avons vécu fascinés, et comme nous ne prenions pas notre métier d'écrivain à la légère, cette fascination se reflète encore dans nos écrits : nous avons entrepris de faire une littérature des situations extrêmes. »[1]

La situation dramatique, la situation historique, conçues comme situations extrêmes, permettent donc d'explorer la condition humaine, de toucher les limites de l'humanité. Le théâtre de Sartre rejoint alors son ontologie.

3. Le « paysage philosophique »

La même année que *les Mouches*, Sartre faisait paraître les quelque sept cents pages de *l'Être et le Néant*. On peut considérer que ce traité philosophique vient couronner le massif des premières œuvres de l'écrivain et leur conférer tout leur sens. « Avant l'apparition de cette explication philosophique, écrit Claude-Edmonde Magny[2], les tentatives d'unification de la pensée sartrienne étaient sans doute prématurées. Il semble que, désormais, l'on puisse parler d'un "système de Sartre", d'une vision du monde à la fois esthétique et intellectuelle qui lui est propre, et dont l'œuvre littéraire d'une part, les essais philosophiques de l'autre forment les deux versants indissociables. Jusqu'à présent, les nouvelles de Sartre, *la Nausée*, ses pièces, n'avaient d'autre unité que celle, implicite, d'un style et d'une personnalité. *L'Être et le Néant* vient fournir le fil conducteur qui permettra de relier entre elles les différentes pièces du système, l'armature dialectique qui, situant chacune d'elles par rapport aux autres, vient lui conférer sa signification véritable. »

L'existence nue des choses que découvrait Antoine Roquentin dans *la Nausée*, l'existence envisagée dans ce qu'elle a de contingent, prend le nom d'« **être-en-soi** ». A ce stade « l'être est ce qu'il est », il « n'a pas de secret », il est « massif »[3], il est positivité pleine, et même trop pleine, car « incréé, sans raison d'être, sans rapport aucun avec un autre être, l'être-en-soi est de trop pour l'éternité »[4].

---

1. *Situations II*, pp. 249-250.
2. « Système de Sartre », article paru dans la revue *Esprit*, mars 1945, n° 4, et repris dans le recueil *Littérature et Critique*, Payot, 1971, pp. 60-61.
3. *L'Être et le Néant*, p. 33.
4. *Ibid.*, p. 34.

Mais l'en-soi ne peut être seul au monde. La nausée d'Antoine Roquentin le témoignait déjà suffisamment, résultat d'un choc de l'être-en-soi et d'une conscience, le « **pour-soi** ». L'être-en-soi devient ce dont la conscience est conscience et qui n'est pas elle. Il est être plein, elle est « décompression d'être »[1].

L'opposition de l'« en-soi » et du « pour-soi » n'exclut pas une corrélation entre eux. Sartre se souvient ici de l'enseignement de Husserl : la conscience est toujours conscience de quelque chose; réfléchissant, le pour-soi est en même temps reflet de l'en-soi. Tel est son statut ambigu.

Cette ambiguïté est source de déchirement. Tendue vers l'être-pour-soi, la conscience ne saurait pourtant se confondre avec lui. « La réalité humaine est souffrante dans son être, parce qu'elle surgit à l'être comme perpétuellement hantée par une totalité qu'elle est sans pouvoir l'être, puisque justement elle ne pourrait atteindre l'en-soi sans se perdre comme pour-soi. Elle est donc par nature **conscience malheureuse**, sans dépassement possible de l'état de malheur. »[2] Sa fonction ontologique est la néantisation, qui rend possible la liberté. Claude-Edmonde Magny résume ainsi l'engendrement dialectique, selon Sartre, du pour-soi à partir de l'en-soi : « Les jugements négatifs que nous formulons ont un sens; il y a donc, dans le monde, de la négation, qui suppose le néant; or celui-ci ne saurait venir de l'être-en-soi, qui est plénitude absolue : il faut donc que ce qu'il y a de néant dans le monde vienne de l'autre réalité, la conscience, l'homme. »[3]

Cette dialectique apparaîtra en pleine clarté grâce à la notion de **situation**. La liberté humaine surgit dans l'acte par lequel elle néantit l'être qui lui préexiste, mais ce donné est la condition même de son surgissement. « La liberté humaine ne surgit qu'au sein d'une situation qu'elle dépasse. »[4] Toute liberté est celle d'un être en situation. Mais la réciproque est également vraie : il n'y a de situation que par la liberté[5].

L'une des tâches du théâtre, conçu comme « théâtre de situation », sera d'éclairer ce rapport :

> « S'il est vrai que l'homme est libre dans une situation donnée et qu'il se choisit libre dans une situation donnée et qu'il se choisit lui-même *dans* et *par* cette situation, alors il

---

1. *L'Être et le Néant*, p. 116.
2. *Ibid.*, p. 134.
3. « Système de Sartre », p. 68.
4. *Ibid.*, p. 72.
5. Voir l'*Être et le Néant*, p. 569.

faut montrer au théâtre des situations simples et humaines
et des libertés qui se choisissent dans ces situations... Ce
que le théâtre peut montrer de plus émouvant est un caractère en train de se faire, le moment du choix, de la libre décision qui engage une morale et toute une vie. Et comme il n'y
a de théâtre que si l'on réalise l'unité de tous les spectateurs,
il faut trouver des situations si générales qu'elles soient com-
munes à tous. Nous avons nos problèmes : celui de la fin et
des moyens, de la légitimité de la violence, celui des conséquences de l'action, celui des rapports de la personne et de
la collectivité, de l'entreprise individuelle avec les constantes
historiques, cent autres choses encore. Il me semble que la
tâche du dramaturge est de choisir parmi ces situations
limites celle qui exprime le mieux ses soucis et de la présenter
au public comme la question qui se pose à certaines libertés. »

Tout serait encore assez simple dans cette relation de l'en-
soi et du pour-soi si n'intervenait ce tiers : l'autre. L'autre
est objet pour moi, mais je suis également objet pour lui.
« Le surgissement d'autrui atteint le pour-soi en plein cœur. »[1]
C'est une découverte déchirante : « J'ai honte de moi tel que
j'apparais à autrui... Je reconnais que je suis comme autrui me
voit. »[2] Elle fonde un nouveau type d'être, le « **pour-autrui** ».

Il peut être vécu selon la modalité du conflit, conflit qui est
poussé au paroxysme dans *Huis-clos*, ou dans « Érostrate »,
la troisième des nouvelles du *Mur*. La fameuse formule, pas
toujours bien comprise, « l'enfer c'est les autres », qui résume
l'étrange torture circulaire de Garcin, Estelle et Inès, consonne
avec des expressions employées par Sartre dans *l'Être et le
Néant* : « ma chute originelle c'est l'existence de l'autre » ou
« le conflit est le sens originel de l'être pour-autrui »[3]. Mais
on n'a pas assez observé que ces étranges morts-vivants dont
Sartre a fait les personnages de *Huis-clos* se retrouvent dans *les
Mouches*. Si, comme l'écrit le philosophe dans *l'Être et le Néant*,
« être mort, c'est être en proie aux vivants »[4], les Argiens sont
plutôt des vivants en proie aux morts, c'est-à-dire des manières
de morts eux-mêmes. Ils sont torturés en songeant à l'image
d'eux-mêmes que se forment d'eux leurs défunts. Égisthe les
glace en montrant qu'ils sont comme sur une scène, livrés au
regard de cet invisible public :

> « Les morts ne sont plus — comprenez-vous ce mot
> implacable? — ils ne sont plus, et c'est pour cela qu'ils se sont
> faits les gardiens incorruptibles de vos crimes [...]. Ah!

---

1. *L'Être et le Néant*, p. 429.
2. *Ibid.*, p. 276.
3. Voir sur ce point Francis Jeanson, *Sartre par lui-même*, pp. 26-27.
4. Cité *ibid.*, p. 28.

piètres comédiens, vous avez du public aujourd'hui. Sentez-vous peser sur vos visages et sur vos mains les regards de ces millions d'yeux fixes et sans espoir? Ils nous voient, ils nous voient, nous sommes nus devant l'assemblée des morts. Ha! ha! Vous voilà bien empruntés à présent; il vous brûle, ce regard invisible et pur, plus inaltérable qu'un souvenir de regard. » (II, premier tableau, sc. 2, l. 72-83).

Électre essaie de les persuader, au contraire, qu'ils se laissent abuser par leurs ombres (II, premier tableau, sc. 3, l. 44 et suiv.). Mais c'est cette ombre d'eux-mêmes qui les fascine : ils ont fini par se voir tels qu'ils croient être vus, des pêcheurs, des charognes, des égouts, des fosses d'aisance (II, premier tableau, sc. 1, p. 43).

C'est que le « pour-autrui » peut être vécu sur le mode de l'adéquation avec l'image que l'autre se forme de moi. « Parmi les mille manières qu'a le pour-soi d'essayer de s'arracher à sa contingence originelle, il en est une qui consiste à tenter de se faire reconnaître par autrui comme existence de droit »[1]. C'est le cas en particulier de celui qui s'identifie avec sa fonction, de Lucien Fleurier dans « l'Enfance d'un chef » (la dernière des nouvelles du *Mur*) ou des « salauds » dont les effigies peuplent le musée de Bouville, dans *la Nausée*. Égisthe, dans *les Mouches*, en donnera une illustration saisissante. Au terme de ses quinze années de règne, il a fini par s'identifier avec la figure qu'il a voulu faire devant ses sujets : « Voici quinze ans que je m'habille comme un épouvantail : tous ces vêtements noirs ont fini par déteindre sur mon âme » (II, deuxième tableau, sc. 3).

Le chef, le « salaud », vit dans un univers de droits et de devoirs qui lui font oublier sa contingence. Nouveau trait de ressemblance avec Égisthe quand il soumet le peuple d'Argos à un Ordre moral dont (avec l'aide de Jupiter) il est l'inventeur et qui, à l'en croire, serait fondé sur le respect de valeurs objectives. Comme le note justement Claude-Edmonde Magny, « la morale faussement objective d'Égisthe est une hypostase de celle des Salauds : il mériterait de régner sur le musée de Bouville ». Au contraire, « l'angoisse éthique, celle qu'éprouve Oreste après son crime, vient délivrer l'homme en lui révélant la subjectivité absolue des valeurs, qui n'apparaissent dans le monde qu'avec la réalité humaine, et la mauvaise foi qu'il y a à les prétendre objectives »[2].

---

1. *L'Être et le Néant*, p. 565.
2. Claude-Edmonde Magny, *Littérature et Critique*, p. 73.

ARCH. E. B. PH. © ROGER-VIOLLET

4. Le chemin de la liberté

Jusqu'ici, les œuvres de Sartre conduisaient à une impasse. L'homme était pris entre deux solutions également inapplicables : l'intégration à la réalité contingente (exister absurdement comme l'arbre et le galet; voir *la Nausée*), le recours à l'imaginaire (la mythomanie du fou ou du romancier; voir « la Chambre » dans *le Mur*, ou « Mlle H. », dans *l'Imaginaire*). *Les Mouches* le font sortir du dilemme en apportant une solution que confirmera la suite romanesque des *Chemins de la liberté* : « La délivrance consistera pour Oreste à assumer pleinement la condition humaine, à s'engager à fond envers elle, fût-ce par le crime, pour charger sur son dos le fardeau accablant d'une responsabilité. Ainsi il se trouvera sauvé, et avec lui tous les hommes, parce qu'il s'est mis au niveau de cette horreur suprême qu'est notre condition. » Tel est « le chemin de la liberté » qui est en même temps le « chemin du salut »[1].

Le thème de la liberté est présent dès le début de la pièce. Le Pédagogue, maître de scepticisme, se flatte d'avoir donné à son disciple, Oreste, cette indépendance parfaite qui est le plus beau fleuron de la culture :

> « A présent vous voilà jeune, riche et beau, avisé comme un vieillard, affranchi de toutes les servitudes et de toutes les croyances, sans famille, sans patrie, sans religion, sans métier, libre pour tous les engagements et sachant qu'il ne faut jamais s'engager, un homme supérieur enfin, capable par surcroît d'enseigner la philosophie ou l'architecture dans une grande ville universitaire... » (I, 2, l. 1 à 8).

Mais ce n'est là qu'une fausse liberté, la liberté d'indifférence. Elle réduit le vivant à l'état de fantôme, de « nuage capricieux et fugace, toujours le même, toujours en train de se diluer dans les airs par les bords », comme l'écrivait déjà Sartre dans « l'Enfance d'un chef »[2], « de ces fils que le vent arrache aux toiles d'araignée et qui flottent à dix pieds du sol », comme le dit maintenant Oreste (I, 2, l. 10-12).

Ce n'est pas aux mouches, ce n'est pas à la foule furieuse prête à le lapider quand il sortira du temple d'Apollon que le héros devra s'arracher. C'est à la liberté d'indifférence, ce cul-de-sac. Comme Mathieu au début de *l'Age de raison*, il veut cesser de glisser à la surface du monde en accomplissant un acte décisif qu'on ne lui volera pas et qui sera *son* acte. « En tuant Égisthe, il s'affranchit et avec lui son peuple et

1. Cl. Ed. Magny, « Système de Sartre », pp. 66-67.
2. *Le Mur*, p. 216.

l'humanité entière : il s'accepte dans sa totalité, y compris sa naissance, sa condition de fils d'Agamemnon et de Clytemnestre, y compris la condition humaine. Grâce à son crime, il connaît brusquement que l'homme est responsable de tout ce qui le constitue, de ce par quoi il est donné à lui-même comme de ce qu'il lui semble avoir librement choisi, et que ce choix par lequel il s'assume tout entier est ce qui le pose en tant qu'être, qui le fait exister véritablement. »[1]

Cette liberté qui choisit, Oreste, à dire vrai, ne la choisit pas[2]. Paradoxalement, c'est elle qui lui tient lieu de destin dans cette tragédie. Inséparable de la condition humaine, elle existe comme un fait (elle est « factice », pour reprendre un terme-clef du langage philosophique de Sartre). « Je suis libre, Électre; la liberté a fondu sur moi comme la foudre », s'écrie Oreste après avoir accompli le double meurtre (II, deuxième tableau, sc. 8, l. 33-34). Ce « résidu de fatalité »[3] ne va pas sans poser quelques problèmes. En particulier ceux-ci : si la liberté est inhérente à la condition humaine, en quoi Oreste est-il plus libre que les Argiens? N'est-il pas libre dès le moment où il souffre de sa liberté d'indifférence? En admettant qu'on juge la liberté au poids[4], ne pourrait-on pas dire (et ce n'est pas seulement un jeu de mots) qu'au premier acte sa liberté lui pèse?

On comprend dès lors l'incertitude, et parfois l'insatisfaction de la critique devant le troisième acte de la pièce. Nous avons fait état en particulier des réticences de Gabriel Marcel quand il constate l'ambiguïté du dénouement où la liberté qui devait être créatrice[5] se révèle stérile, puisque Oreste « décline pour les autres » la responsabilité qu'il « assume pour son compte »[6]. Même un commentateur aussi fervent que Francis Jeanson s'interroge :

> « [Oreste] nous l'a dit et redit, il veut devenir "un homme parmi les hommes", il veut acquérir "droit de cité" dans Argos. D'où vient, dès lors, sa décision finale de quitter la ville à jamais? »

---

1. Claude-Edmonde Magny, *Littérature et Critique*, p. 72.
2. *Cf.* l'*Être et le Néant*, p. 565 : « En fait nous sommes une liberté qui choisit, mais nous ne choisissons pas d'être libre : nous sommes condamnés à la liberté, comme nous l'avons dit plus haut, jetés dans la liberté ou, comme dit Heidegger, "délaissés". »)
3. Sur ce point voir P. Brunel, *le Mythe d'Électre*, « les métamorphoses du destin », p. 150.
4. *Cf.* II, deuxième tableau, sc. 8, l. 40 et suiv. : « J'ai fait *mon* acte, Électre, et cet acte était bon. Je le porterai sur mes épaules comme un passeur d'eau porte les voyageurs, je le ferai passer sur l'autre rive et j'en rendrai compte. Et plus il sera lourd à porter, plus je me réjouirai, car ma liberté, c'est lui. »
5. *Cf. Situations II* : « Une issue ça s'invente. Et chacun, en inventant sa propre issue, s'invente soi-même. L'homme est à inventer chaque jour. »
6. Voir le commentaire pp. 92-94.

Oreste nous propose tour à tour deux versions de son acte :
tantôt il le justifie, devant Égisthe et même devant Jupiter,
par le désir de libérer les Argiens ; tantôt il l'exalte comme l'acte
de naissance de sa propre liberté. Et c'est certainement cette
dernière justification qui l'emporte, au terme d'une expérience
que Gabriel Marcel n'hésite pas à qualifier de « monadique »
et qui, comme le note Francis Jeanson, ne peut atteindre la
foule que par la magie d'un mythe nouveau :

> « [...] C'est froidement qu'il prend congé de "ses" hommes,
> en conclusion de cette fête qu'il vient de s'offrir. Ici l'acte
> d'Oreste, *acte* pour lui seul, s'achève en représentation et
> révèle son être-pour-autrui : un pur *geste*, doublement
> théâtral, — par son allure spectaculaire et par le choix que
> fait Oreste d'y jouer le rôle d'un héros déjà entré dans la
> légende. [...] Dans cette apothéose, Oreste se fait saisir tout
> vif par une humanité mythique : en un instant, il se change en
> mythe pour échapper aux hommes réels, et c'est l'instant
> même où il attire et résume en lui, magiquement, toute leur
> réalité. »[1]

L'accomplissement de soi s'achève dans l'imaginaire...
Pierre Verstraeten, qui qualifie de « romantique » la conduite
finale du héros, en donne une justification qui rejoint la critique de Francis Jeanson :

> « Si Sartre, dans *les Mouches*, ne propose qu'une solution
> individuelle, un rapport magique avec l'Histoire n'a pas
> ménagé d'autres issues ; dans l'univers de l'Europe germa-
> nisée, on peut tuer, dynamiter, être martyrisé : on n'entasse
> pas réellement le temps d'une histoire qui se déroule ailleurs.
> Dans cette perspective l'action est nécessairement répétition,
> le geste, théâtral, on sauve son âme et non les hommes. Mais
> quand il n'y a que son âme à sauver, la déréalisation de l'ac-
> tion est la seule manière de sauver l'humain ; l'homme est
> irrémédiablement signifiant et si l'Histoire exclut l'homme de
> sa réalité effective, il reste à l'homme à vivre cette exclusion
> en s'installant dans l'imaginaire. »[2]

5. L'auteur et ses fantasmes

Il serait donc injuste et inexact de voir seulement dans *les
Mouches* un pamphlet anti-pétainiste ou une pièce à thèse.
C'est un peu ce que fait Geneviève Serreau quand, après avoir
expliqué le succès de la pièce par ses résonances politiques,
elle juge que son objet essentiel est d'illustrer « dans un
langage incisif, cru, rapide, singulièrement efficace, et par le

1. *Sartre par lui-même*, p. 23.
2. *Violence et Éthique*, op. cit., pp. 24-25.

biais de l'éternelle histoire des Atrides, les principaux points d'une doctrine philosophique dont on connaît mal encore [en 1943] les ressorts et que certains mots-clefs vont populariser bientôt jusqu'à l'engouement : liberté, responsabilité, engagement, dénonciation des "salauds" de tous ordres »[1]. Répétons-le : le mythe d'Électre n'est pas un instrument creux dont Sartre userait à sa guise. Il existe entre ce mythe et lui une attirance secrète que nous voudrions essayer maintenant de définir.

Une remarque préliminaire s'impose à titre de précaution. Il ne s'agit pas de dévoiler un quelconque « inconscient » de Sartre. L'auteur de *l'Être et le Néant* a suffisamment pris ses distances par rapport à la psychanalyse freudienne[2] pour qu'on ne tente pas de le psychanalyser à son tour. « Pour Sartre, en effet, il ne saurait y avoir d'inconscient : cette notion même est contradictoire, puisque la conscience, essentiellement translucide, s'oppose à l'opacité de l'en-soi. »[3] A la notion d'inconscient il a substitué celle de « mauvaise foi », cette duplicité d'une conscience qui glisse de ce qu'elle est effectivement à ce qu'elle voudrait être, de sa « facticité » à sa « transcendance ». Il n'est pas étonnant, dans ces conditions, que l'auteur lui-même nous révèle les aspects que nous voulons maintenant souligner.

LE LIEN FRATERNEL

Sartre nous a dit l'importance qu'il accorde au lien fraternel, — bien qu'il n'ait jamais eu ni frère ni sœur à proprement parler. « C'est le seul lien de parenté qui m'émeuve », nous confie-t-il encore dans *les Mots* (pp. 41-42). C'est ce lien qui se substitue au lien filial dans ses rapports avec sa mère, et il prend nécessairement une coloration incestueuse :

> « Frère en tout cas, j'eusse été incestueux. J'y rêvais. Dérivation? Camouflage de sentiments interdits? C'est bien possible. J'avais une sœur aînée, ma mère, et je souhaitais une sœur cadette [...]. J'ai commis la grave erreur de chercher souvent parmi les femmes cette sœur qui n'avait pas eu lieu : débouté, condamné aux dépens. »

Lui-même nous invite à trouver des traces de ce fantasme dans *les Mouches* :

> « Vers dix ans, je me délectais en lisant *les Transatlantiques*[4] : on y montre un petit Américain et sa sœur, fort innocents, d'ailleurs. Je m'incarnais dans le garçon et j'aimais à travers lui, Biddy, la fillette. J'ai longtemps rêvé d'écrire un conte sur

1. *Histoire du Nouveau Théâtre*, Gallimard, coll. « Idées », N.R.F., 1966, p. 26.
2. Voir en particulier « Un Nouveau Mystique », dans *Situations I.*
3. Cl.-Ed. Magny, « Système de Sartre », p. 68.
4. Roman d'Abel Hermant, publié en 1897.

deux enfants perdus et discrètement incestueux. On trouverait dans mes écrits des traces de ce fantasme : Oreste et Électre, dans *les Mouches*, Boris et Ivich dans *les Chemins de la liberté*, Frantz et Leni dans *les Séquestrés d'Altona*. Ce dernier couple est le seul à passer aux actes. Ce qui me séduisait dans ce lien de famille, c'était moins la tentation amoureuse que l'interdiction de faire l'amour : feu et glace, délices et frustration mêlées, l'inceste me plaisait s'il restait platonique. »

LA BÂTARDISE

Oreste a très jeune perdu son père, le roi Agamemnon. Jean-Paul Sartre avait un an quand il perdit le sien, en 1905. Cette mort, il veut, dans *les Mots*, la faire passer pour la naissance de sa liberté :

« La mort de Jean-Baptiste fut la grande affaire de ma vie : elle rendit ma mère à ses chaînes et me donna la liberté.
» Il n'y a pas de bon père, c'est la règle; qu'on ne tienne pas grief aux hommes mais au lien de paternité qui est pourri. Faire des enfants, rien de mieux; en *avoir*, quelle iniquité! Eût-il vécu, mon père se fût couché sur moi de tout son long et m'eût écrasé. Par chance, il est mort en bas âge, au milieu des Énées qui portent sur leur dos leurs Anchises, je passe d'une rive à l'autre, seul et détestant ces géniteurs invisibles à cheval sur leurs fils pour toute la vie; j'ai laissé derrière moi un jeune mort qui n'eut pas le temps d'être mon père et qui pourrait bien être, aujourd'hui, mon fils. Fut-ce un mal ou un bien? Je ne sais; mais je souscris volontiers au verdict d'un éminent psychanalyste : je n'ai pas de sur-moi. »[1]

Mais n'est-ce pas là cette liberté qu'Oreste regrette, au début des *Mouches*, d'avoir reçue en partage? Ce « grand soldat » aux « gros yeux rouges » l'aurait peut-être écrasé (p. 54, l. 61), du moins il aurait senti son poids. Éloigné du palais et de la ville paternelle à l'âge de trois ans, il n'a pas même vécu à l'ombre d'un fantôme. Privé de père, il est de plus privé du souvenir de son père : « Qui suis-je? [...] j'existe à peine » (II, premier tableau, sc. 4).

C'est la situation du « bâtard » qu'on retrouve fréquemment dans l'ombre de Sartre (Hugo dans *les Mains sales*, Goetz dans *le Diable et le Bon Dieu*). « Dans tous les cas, il s'agit de s'assurer de son être parce que cet être vous échappe, du fait d'une situation originelle qui vous divise à l'intérieur de vous-même. »[2] Qu'Anne-Marie se soit remariée avec M. Mancy, que Clytemnestre, la femme aux yeux morts, ait épousé Égisthe, son complice et son amant, importe moins que cette division intérieure, cet échappement à soi. Le bâtard est moins un

1. *Les Mots*, p. 11.
2. Francis Jeanson, *Sartre par lui-même*, p. 53.

« bâtard par rapport à la société humaine » qu'un « bâtard par rapport à lui-même »[1].

En accomplissant son acte, Oreste parvient-il à échapper à sa bâtardise? Il est fort à craindre que cet acte ne reste un geste. Comme Hugo, comme Goetz, Oreste a besoin du regard des gens d'Argos : d'où cette sortie théâtrale du meneur de rats, sortie du comédien qui n'a pu « s'affranchir de ce jeu qui [le] truque, s'arracher enfin au domaine des gestes et du *théâtral* pour accéder à celui des actes et du monde réel »[2]. Cette distance, on la retrouverait sans peine dans l'acte d'écrire — surtout quand il s'agit d'une œuvre dramatique —, perpétuelle fuite hors et pourtant à l'intérieur du cabotinage.

LA FASCINATION DU VISQUEUX

La nausée n'est pas seulement le titre d'un roman de Sartre. Elle est l'impression dominante que le lecteur devrait en retirer, si l'on en croit du moins Boris Vian et les voluptueux vomissements de Chick, adorateur inconditionnel de Jean-Sol Partre dans *l'Écume des jours*. Pierre de Boisdeffre, admirateur beaucoup moins inconditionnel de l'écrivain, n'est pas tellement éloigné de cette conception quand il prétend que les « meilleures pages » de Sartre « décrivent un univers obsessionnel de héros englués dans une horreur tiède, ineffaçable », « une sorte d'enfer mou, plein d'intimités sordides, de pollutions nocturnes, d'odeurs suspectes, de frissons pâteux, de plantes vénéneuses, de bêtes puantes (cloportes, cancrelats, limaces) »[3]. Cet enfer est bien celui qui se déverse dans Argos depuis la mort d'Agamemnon : une charogne de ville, pleine d'excréments, sur laquelle s'acharne un bestiaire qui infecte jusqu'au langage des habitants. Le jour de la fête des morts est une apothéose du sordide.

Si le langage dramatique de Sartre est chargé, dans la pièce, c'est en partie à cause de la prolifération de ce bestiaire et des images qui s'efforcent de le suggérer. La plaisanterie est un peu lourde quand les soldats qui montent la garde près du trône royal parlent de « ces vaches de mouches » (II, deuxième tableau, sc. 2). Mais le Pédagogue les trouve aussi « plus grosses que des libellules », et Jupiter affirme que « dans quinze ans elles auront atteint la taille de petites grenouilles » (I, 1, l. 83). Électre, qui sent leurs « mille pattes gluantes sur [s]on corps », les voit enfler « comme des abeilles » (II, deuxième tableau,

1. Gaston Meyer, éd. des *Mains sales*, Bordas, 1971, p. 111.
2. Francis Jeanson, *Sartre par lui-même*, p. 58.
3. Pierre de Boisdeffre, *Une Histoire vivante de la littérature d'aujourd'hui*, Librairie Académique Perrin, 5e éd., 1964, p. 119.

sc. 8, l. 69). Elles sont tout aussi bien des « chiennes » et, nous l'avons dit, des « rats ». La danse des mouches devant les hommes, cette « lente et sombre danse » dont parle Jupiter (II, deuxième tableau, sc. 5, l. 165), est aussi, dans le texte, ce ballet d'images, de comparaisons, de métaphores, qu'anime un poète en proie aux mots :

> « LE PÉDAGOGUE. — [...] Ah! çà, les mouches d'Argos m'ont l'air beaucoup plus accueillantes que les personnes. Regardez celles-ci, mais regardez-les! *(Il désigne l'œil de l'idiot.)* Elles sont douze sur son œil comme sur une tartine, et lui, cependant, il sourit aux anges, il a l'air d'aimer qu'on lui tète les yeux. Et, par le fait, il vous sort de ces mirettes-là un suint blanc qui ressemble à du lait caillé. » (I, 1, l, 65-71).

. . . .

> DEUXIÈME SOLDAT. — Elles sentent les morts et ça les met en joie. Je n'ose plus bâiller de peur qu'elles ne s'enfoncent dans ma gueule ouverte et n'aillent faire le carrousel au fond de mon gosier (II, deuxième tableau, sc. 2).

Sartre semble s'être reproché, par la suite, l'impureté d'un langage dramatique qui, en s'abandonnant aux images, perdait en efficacité. « Mon dialogue était verbeux », confiait-il en 1968 à Paul-Louis Mignon. « Dullin, sans m'en faire reproche ni me conseiller d'abord des coupures, me fit comprendre, en s'adressant aux seuls acteurs, qu'une pièce de théâtre doit être exactement le contraire d'une orgie d'éloquence, c'est-à-dire : le plus petit nombre de mots accolés ensemble, irrésistiblement, par une action irréversible et une passion sans repos. » [1]

Pourtant, on imagine difficilement la pièce sans cette fête des mots et ce perpétuel pouvoir d'évocation qui n'est rendu possible que par « ces légers desserrements d'écrous, cette impropriété constante et légère, ce jeu dans les transmissions qui créent le Verbe poétique » [2]. Cette brisure, nouvelle illustration de la « mauvaise foi » de l'écrivain, est celle qui caractérise l'œuvre d'un prosateur glissant vers la poésie, que saisissent simultanément la fascination et le dégoût du visqueux, l'obsession du gluant et « la nostalgie du dur, du solide, de l'inflexible » [3]. Comme Oreste : charmeur de mouches...

---

1. Interview publiée dans *l'Avant-Scène Théâtre*, n° 402-403 (spécial Sartre), 1ᵉʳ-15 mai 1968, pp. 33-34.
2. « Orphée noir », dans *Situations III*, p. 235.
3. Claude-Edmonde Magny, *Littérature et Critique* p. 89.

JUGEMENTS

Gabriel MARCEL, « les Mouches », dans *Chercher Dieu*, les éditions du Cerf, 1943 (p. 168) :

> Si peu enclin qu'on puisse être à partager certaines des convictions fondamentales de M. Sartre, il me paraît impossible de ne pas admirer la force et la netteté de son esprit. Ces qualités éclatent dans sa pièce. Je n'hésite pas quant à moi à juger celle-ci très supérieure à l'*Électre* de M. Giraudoux, en raison peut-être du sérieux passionné dont elle témoigne, et qui contraste si étrangement avec la profusion d'éléments décoratifs qui surchargent, au détriment de l'ordonnance et du sens, la plupart des ouvrages où l'auteur d'*Elpénor* a répandu sa fantaisie.

Marguerite YOURCENAR, Préface à *Électre ou la Chute des masques*, Plon, 1954 (p. XXIII) :

> L'âpre traitement du [...] sujet dans *les Mouches* de Sartre se rapproche davantage d'Eschyle en ce que le problème métaphysique y est de nouveau posé dans toute sa rigueur, mais l'hiératisme du ton et une dialectique aride y réduisent singulièrement la part de l'humain. Loin de mater avec l'aide de son Dieu les Furies familiales, c'est au concept même de Dieu que s'attaque chez Sartre un abstrait Oreste.

Pierre DE BOISDEFFRE, *Une Histoire vivante de la littérature d'aujourd'hui*, Librairie académique Perrin, 1958 (5e éd., 1964, pp. 716-717) :

> La première pièce de Sartre — *les Mouches* — représentée en 1943, avait grande allure ; elle annonçait une nouvelle étape de son œuvre, marquée par la guerre, la captivité, la résistance. Ses premiers récits *(la Nausée, le Mur)* n'avaient guère été qu'une violente critique de la comédie humaine. A la satire, *les Mouches* ajoutaient une contrepartie positive, la conquête d'une liberté par une vie d'homme.

Simone de Beauvoir, *la Force de l'âge*, Gallimard, 1960 (coll. « Folio », p. 672) :

> Depuis que j'avais assisté aux répétitions des *Mouches*, je méditais d'écrire une pièce ; on me disait que, dans *l'Invitée*, les meilleurs passages étaient les dialogues ; je savais que le langage de la scène diffère de celui du roman mais cela ne faisait qu'accroître mon désir de m'y essayer ; il devait être, à mon avis, dépouillé à l'extrême : celui des *Mouches* me paraissait trop abondant, je préférais la sécheresse et la densité de *Huis clos* ».

Bernard Guyon, « Sartre et le mythe d'Oreste », dans *Actes du VIIe Congrès de l'Association Guillaume Budé*, Les Belles Lettres, 1964 (pp. 50-51) :

> Vous devinez sans peine le risque grave que peut faire courir à une œuvre littéraire une pareille charge d'idées, une telle tension spirituelle. En fait, à ce risque je ne crois pas que Sartre ait complètement échappé [...]. [...] On ne peut s'empêcher, devant cette pièce, de se souvenir qu'on a affaire à l'œuvre d'un débutant [...].
>
> Pourtant, même du point de vue purement dramatique, la pièce est très défendable. *Les Mouches* me paraissent une œuvre très remarquable, non seulement par la fermeté du style [...,], mais aussi par la vigueur contrastée des caractères, par la puissance poétique de l'évocation lyrique. Au fond, elle n'est pas indigne d'être comparée à ses très grands modèles.

Paul Surer, *Cinquante ans de théâtre*, S.E.D.E.S., 1969 (p. 276) :

> Il faut avouer [...] que, dans cette dramaturgie, la doctrine philosophique est trop souvent présente en filigrane : *Les Mouches*, en particulier, sont encombrées de thèmes qui se superposent avec une lourdeur assez accablante, et on pourrait citer maints personnages, qui sont moins des êtres vivants que des porteurs d'idéologie. Enfin, s'il nous paraît déplacé de reprocher à son auteur son désespoir et l'atmosphère de défaite irrémédiable qui pèse sur la plupart de ses héros, on peut lui en vouloir de s'être trop complu dans une atrocité qui effarouche les âmes sensibles. Il y a du tortionnaire chez Sartre, un goût parfois malsain du sordide, du pollué, de ce qui est visqueux et gluant, un humour noir trop grinçant. On suffoque dans son enfer intellectualiste, qu'aucun souffle d'air ne traverse et où il semble que d'invisibles mains, armées d'un scalpel, mettent à nu les humeurs et les purulences de nos viscères. De toute évidence, Sartre est allergique au rêve poétique, à l'émotion rafraîchissante, au mystère des visages et des âmes.

Pierre Verstraeten, *Violence et Éthique*, esquisse d'une critique de la morale dialectique à partir du théâtre politique de Sartre, Gallimard, « Les Essais », CLXV, 1972 (pp. 26-27) :

> [...] A nos yeux, cette pièce possède à la fois valeur *événementielle*, illustrative, et *essentielle*, exemplaire. Concrètement, elle offre une réponse précise à un problème singulier ; théoriquement, cette solution s'inscrit dans le système des structures *possibles* articulant le rapport de l'homme à l'Histoire, ou plutôt en présente un enrichissement. Par ce biais, proprement *typologique*, il peut être intéressant de mettre cette « possibilité » en relation avec le double horizon de passé et d'avenir que possède l'œuvre de Sartre ; de passé en tant que sa première œuvre littéraire, *la Nausée*, donne une réponse *anhistorique*, de l'avenir en tant qu'il s'efforcera de promouvoir une vision proprement *historique ; les Mouches* présentent dans cette perspective une médiation par le *non-historique* — assomption non historique au problème de l'Histoire —, dépassant l'anhistorisme de *la Nausée*, mais non encore proprement engagé historiquement.
>
> [...]

> Il faut [...] voir dans *les Mouches* une œuvre de transition qui, s'exprimant sur le sol historique d'événements particuliers, totalise pourtant un ensemble de thèmes et de perspectives antérieurs et par là même les pousse au-delà d'eux-mêmes tout en restant cependant chargée de leur pesanteur propre.

Naples, Musée National
Oreste après avoir tué sa mère

DOCUMENTS
POUR UNE COMPARAISON

On appréciera mieux l'originalité de Sartre dans *les Mouches* en comparant cette pièce avec les trois grandes tragédies grecques d'Électre :

— *Les Choéphores*, deuxième partie de la trilogie d'Eschyle (458 av. J.-C.).
— *Électre* de Sophocle (date indéterminée; fin du Ve siècle av. J.-C.).
— *Électre* d'Euripide (413 av. J.-C.).

Nous suivons, pour cette présentation, l'ordre du déroulement dramatique.

[L'ARRIVÉE AU PAYS]

Sartre a repris la tradition sophocléenne en ouvrant sa pièce sur le retour d'Oreste. Voici le début de l'*Électre* de SOPHOCLE.

> *A Mycènes devant le palais des Pélopides, au sommet de l'acropole décorée d'autels, dont celui d'Apollon. Très loin, dans la lumière du matin, le profil d'Argos. Dans l'intervalle, la plaine de l'Argolide. Entrent par la gauche le Précepteur, Oreste et Pylade.*

LE PRÉCEPTEUR. — Enfant dont devant Troie a
　　　　　　　　　　　　　[commandé le père,
ô fils d'Agamemnon, tu peux toi-même, enfin,
voir ces beaux horizons dont tu rêvais toujours :
là-bas, l'antique Argos, vers qui tu soupirais,
5　que garde, Vierge-au-Taon, la fille d'Inachos,
et, consacrée, Oreste, au dieu Tueur-de-loups,
la place Lycienne; à ta gauche, d'Héra

l'illustre sanctuaire, et, juste devant nous,
ose en croire tes yeux, l'opulente Mycènes,
et le toit meurtrier des neveux de Pélops,
10 où, quand on égorgeait celui dont tu naquis,
jadis de l'un des tiens, de ta sœur, je reçus
pour l'emporter, pour le sauver, pour l'élever
à l'âge où le voilà le vengeur de son père.
15   Maintenant donc, Oreste, et toi, hôte si cher,
Pylade, à votre tâche il faut vite aviser :
déjà, comme un flambeau, le soleil radieux
éveille dans les nids les concerts de l'aurore,
et, d'étoiles et d'ombre, a disparu la nuit.
20 Avant que du palais il ne sorte personne,
arrêtez vos desseins, car au point où nous sommes,
à l'heure d'hésiter l'instant d'agir succède.

      ORESTE. — Ô de mes serviteurs toi que j'aime le plus,
avec quelle clarté tu te montres fidèle !
25 D'un coursier généreux jamais le poids des ans
au moment des combats n'a ralenti l'ardeur;
il dresse encor l'oreille, et je te vois ainsi
m'inciter à la lutte, et le premier m'y suivre.
Aussi te vais-je instruire de mes plans. Mais toi,
30 réserve à ma parole un pénétrant accueil,
et, pour peu que je faille, ajuste ma visée.
      Lorsque je consultai l'oracle de Pythô
sur le meilleur moyen de bien venger mon père
et de lever ses droits sur ceux qui l'abattirent,
35 Phoibos me répondit, comme tu vas l'entendre,
« d'aller seul dérober, sans armes, sans soldats,
par ruse, et de ma main, mon sanglant sacrifice ».
Si donc j'ai bien compris la divine réponse,
va, puis, quand tu verras l'occasion propice,
40 entre dans le palais, sache ce qui s'y passe,
afin que ton savoir au plus précis m'éclaire.
Nul danger : ton grand âge et le recul du temps
déjoueront sa mémoire, et tout soupçon, ces fleurs.
Tu racontes alors qu'étranger de Phocide,
45 tu leur viens de la part du brave Phanoteus,
car ils n'ont point d'ami qui leur soit aussi cher.
Sur la foi du serment commençant ton récit,
dis leur qu'Oreste est mort par tragique fortune,

lors d'un tournoi pythique au plus fort de sa course
50 à son char arraché. Tel soit bien ton langage.

Quant à moi, de mon père ayant, selon l'oracle,
de boucles de mon front et de saintes liqueurs
couronné le tombeau, je reviens sur mes pas,
d'une urne dans mes mains portant les flancs de bronze
55 par mes soins, tu l'as vu, dans les ronces cachés,
pour qu'à mots captieux une heureuse nouvelle
apprenne à ce palais que ce qui fut mon corps,
après l'œuvre du feu, n'est désormais que cendres.

Mais pourquoi m'assombrir, quand cette feinte mort,
60 sans effet sur mes jours, va m'apporter la gloire?
Non, je crois peu fatale une utile parole :
souvent, je le sais bien, d'habiles personnages,
après un vain trépas regagnant leur demeure,
ont ainsi obtenu quelque surcroît d'honneurs.
65 Je sens bien qu'à leur tour, après mon faux langage,
mes jours, comme un soleil, sur qui me hait vont luire...

Cependant, sol natal, et vous, dieux du pays,
faites-moi bon accueil au terme de ma route,
et toi, seuil paternel; car si je viens à toi,
70 Justice ou Pureté, c'est le Ciel qui m'envoie.
Bien loin de me chasser sans honneur de ces lieux,
laissez-moi richement rétablir ma Maison.

Je n'ai rien d'autre à dire. A toi, dès lors, vieillard!
Va, mais prends mille soins de bien tenir ton rôle.
75 Pour nous, retirons-nous.

> *Un signe de vie paraît à la façade du palais.*

L'Occasion fait signe,
et dans nulle œuvre d'homme il n'est de meilleur guide.

ÉLECTRE, *derrière le théâtre.* —   Lasse! hélas!
[malheureuse!

LE PRÉCEPTEUR. — En ces murs, mon enfant, d'un sourd
[gémissement
80 je crois qu'une servante a frappé mon oreille.

ORESTE. — La malheureuse Électre, n'est-ce pas?
[Veux-tu
que nous restions ici pour écouter ses plaintes?

LE PRÉCEPTEUR. — Point. Respectons d'abord l'avis
[de Loxias.

C'est par là qu'à tout prix il nous faut commencer :
85   allons sur le tombeau verser l'offrande sainte,
car c'est mettre en nos mains la victoire et le prix.
(Ils sortent. Électre paraît sur le seuil.)

(Traduction Marcel Desportes, éd. Bordas)

[DES PARRICIDES REPENTANTS]

Le double meurtre est accompli. Celui de Clytemnestre,
attirée dans un piège, a été particulièrement atroce. Dans
l'*Électre* d'EURIPIDE, Électre et Oreste s'accusent, meurtriers
en proie aux remords, — aux « mouches »? Euripide est,
on le sait, un auteur cher à Sartre.

Oreste, Électre et Pylade rentrent en scène.
La machine dite ekkyklèma amène sous les
yeux des spectateurs les cadavres de Clytem-
nestre et d'Égisthe.

LE CORYPHÉE. — Les voici. Tout souillés du sang frais
de leur mère, ils sortent de la maison, et ils portent
comme un trophée ces marques qui les désignent pour
de tristes surnoms. Non, il n'est point et il n'y eut jamais
5   de maison plus déplorable que celle des descendants de
Tantale.

ORESTE. — Ô Terre! ô Zeus qui vois tout ce que font les
hommes, contemplez ces victimes sanglantes, abomi-
nables, ces deux corps étendus sur le sol, et frappés par
10   ma main en expiation des maux que j'ai soufferts . . . .
. . . .

ÉLECTRE. — Que de larmes, mon frère! et moi j'en suis
la cause. Je brûlais d'une haine atroce, moi la fille, contre
cette mère qui m'enfanta.

15   LE CHŒUR. — Ô quel destin, quel destin est le tien,
ô mère qui n'as enfanté que pour subir de tes propres
enfants un traitement horrible, lamentable et sans nom!
Mais tu as justement expié le meurtre commis sur leur
père.

[20] ORESTE. — Ô Phoibos, si le droit que tu as proclamé est obscur, visible est le malheur dont tu nous accables, et sanglant le tribut que tu offres sous la terre à Hadès. Dans quelle autre cité pourrai-je aller? Quel hôte, quel homme pieux voudra lever les yeux vers la tête d'un [25] parricide?

ÉLECTRE. — Hélas! où me présenter? dans quel chœur de danse, à quelle fête d'hyménée? Quel époux voudra me recevoir dans son lit nuptial?

LE CHŒUR. — Quel changement dans tes pensées! tu [30] tournes au souffle du vent qui se lève. Tes sentiments sont pieux à présent, mais tantôt ils ne l'étaient guère. Ô amie, à quel forfait tu as entraîné ton frère qui s'y refusait!

ORESTE. — Tu as bien vu comment, rejetant ses voiles, l'infortunée a découvert son sein à l'instant du meurtre. [35] Ah! elle traînait par terre le corps d'où je suis né, et moi, par les cheveux...

LE CHŒUR. — Je comprends; tu devais souffrir en entendant l'appel plaintif de la mère qui t'enfanta.

ORESTE. — Elle poussa ce cri, en portant la main à mon [40] menton : « Mon enfant, je t'implore! » Et saisissant mes joues, elle s'y suspendait, à tel point que mes mains laissèrent tomber l'arme.

LE CHŒUR. — L'infortunée! Comment tes yeux ont-ils pu supporter de voir couler le sang de ta mère expirante?

[45] ORESTE. — Et moi, alors, jetant mon manteau sur mes yeux, j'ai fait le sacrifice et enfoncé le fer dans le cou de ma mère.

ÉLECTRE. — Et moi, je t'ai encouragé et ma main a touché le glaive avec la tienne.

[50] LE CHŒUR. — Tu as commis le plus horrible des forfaits.

ORESTE. — Allons! couvre d'un voile les membres de ta mère et ferme ses blessures. — *(A Clytemnestre.)* Tu as donc enfanté tes propres meurtriers.

ÉLECTRE. — Mère qui fus notre ennemie, nous t'enve- [55] loppons dans les plis de ce manteau.

LE CHŒUR. — C'est pour cette maison la suprême infortune.

(Traduction L. Parmentier, Les Belles-Lettres.)

PH. © GIRAUDON

Paris, musée du Louvre
Électre et Oreste près du tombeau d'Agamemnon

[LA FOLIE D'ORESTE]

Avec Eschyle, dans *les Choéphores*, les « mouches » triomphent. Mais l'essaim fourmillant n'est que l'une des images du texte, l'un des visages des terribles Érinnyes.

Mélodrame

LE CORYPHÉE. — Hélas! hélas! tristes forfaits! Tu[1] as succombé à une mort cruelle!

Hélas! hélas! le châtiment qui s'est fait attendre ne s'en épanouit un jour que plus terrible!

Parlé.

5 ORESTE. — A-t-elle ou non frappé? Voici mon témoin : ce voile qui déclare que sa teinte est due à l'épée d'Égisthe. Le sang qui l'a taché travaille avec le temps à détruire ses couleurs multiples. Ah! maintenant je puis ouvertement m'applaudir, ouvertement me lamenter! Au moment où je 10 proclame ce voile assassin de mon père, je gémis à la fois et sur le forfait et sur le châtiment, et sur ma race entière; car de cette victoire je ne garde pour moi qu'une atroce souillure.

Mélodrame

LE CORYPHÉE. — Aucun mortel ne traversera, sans payer 15 sa part, une vie exempte de douleurs.

Hélas! hélas! telle peine aujourd'hui, telle autre demain!

Parlé.

ORESTE. — Mais, sachez-le bien — car je ne sais, moi, comment tout finira : il me semble conduire un attelage emporté hors de la carrière; mes esprits indociles m'en- 20 traînent, vaincu, tandis que l'Épouvante est là, devant mon cœur, toute prête à chanter, et lui à bondir, bruyant, à sa voix — mais, encore maître de ma raison, je crie bien haut à tous les miens : Oui, j'ai tué ma mère, à bon droit : elle avait tué mon père, elle n'était que souillure, exécra- 25 tion des dieux; et j'affirme que le grand stimulant de mon audace fut le prophète de Pythô, Loxias, qui me prédit

---

1. Le Coryphée s'adresse à Clytemnestre.

qu'à agir comme j'ai fait je ne risquais pas d'être accusé de crime, tandis qu'à négliger son ordre — je ne vous dirai pas le châtiment : la portée de nos arcs ne va pas
30 jusqu'à pareilles souffrances. — Et maintenant, voyez comment, avec ce rameau ainsi paré de laine, je vais prendre la route du temple, bâti autour de l'Ombilic du monde, sol de Loxias, où brille la lueur du feu impérissable, pour fuir le sang d'une mère : c'est vers ce seul
35 foyer que Loxias m'a prescrit de diriger mes pas. Et, plus tard, à tous les Argiens je demande de dire eux-mêmes comment sont nés ces malheurs et de me prêter témoignage, le jour où Ménélas rentrera à Argos. Pour moi, errant, banni de cette terre, je fuirai par le monde, vivant
40 ou mort, ne laissant que ce renom.

LE CORYPHÉE. — Tu as triomphé : ne mets pas tes lèvres au service d'un langage amer; ne te maudis pas toi-même, le jour où tu as délivré le pays argien, en tranchant d'un coup heureux la tête de ces deux serpents.

> *Oreste, qui se dirigeait vers la sortie de gauche, recule tout à coup épouvanté.*

45 ORESTE. — Ah! ah! captives... là, là... des femmes, vêtues de noir, enlacées de serpents sans nombre... Je ne puis plus rester.

LE CORYPHÉE. — Devant quels vains fantômes tournoies-tu ainsi, toi, de tous les mortels le plus cher à ton
50 père? Courage! que peut craindre un vainqueur tel que toi?

ORESTE. — Non, ce ne sont pas de vains fantômes qui font ici mon tourment. Ah! il n'est que trop clair : les voilà, les chiennes irritées de ma mère!

55 LE CORYPHÉE. — Le sang est encore tout frais sur tes mains : de là le trouble qui s'abat sur ton âme.

ORESTE. — Sire Apollon, les voilà qui fourmillent! De leurs yeux goutte à goutte coule un sang répugnant.

LE CORYPHÉE. — Il est un moyen de te purifier : va tou-
60 cher Loxias, il te délivrera de ton tourment.

ORESTE. — Vous ne les voyez pas, vous, mais, moi, je les vois. Elles me pourchassent, je ne puis plus rester.

> *Il sort, éperdu, par la gauche.*

LE CORYPHÉE. — Adieu donc, et qu'un dieu, te suivant de ses regards propices, te garde pour des jours meilleurs.

Mélodrame

65   Voilà donc le troisième orage dont le souffle brutal vient de s'abattre soudain sur le palais de nos rois!

Des enfants dévorés ouvrirent — tristement pour Thyeste! — la série de nos maux.

Puis, ce fut le sort fait à un royal héros : le chef des 70   armées grecques périt égorgé dans son bain. Et maintenant encore, pour la troisième fois, vient de venir à nous — que dois-je dire? la mort? ou le salut? Où donc s'achèvera, où s'arrêtera, enfin endormi, le courroux d'Até?

(Traduction Paul Mazon, éd. Les Belles-Lettres.)

TABLE DES MATIÈRES

Imprimerie Berger-Levrault, Nancy — 778584-05-1987.
Dépôt légal : Mai 1987 — Dépôt 1re édition : 1974
Imprimé en France